Os mensageiros

Francisco Cândido Xavier

Os mensageiros

Pelo Espírito
André Luiz

Copyright © 1944 *by*
FEDERAÇÃO ESPÍRITA BRASILEIRA – FEB

47ª edição – 19ª impressão – 10 mil exemplares – 4/2024

ISBN 978-85-7328-794-3

Todos os direitos reservados. Nenhuma parte desta publicação pode ser reproduzida, armazenada ou transmitida, total ou parcialmente, por quaisquer métodos ou processos, sem autorização do detentor do *copyright*.

FEDERAÇÃO ESPÍRITA BRASILEIRA – FEB
SGAN 603 – Conjunto F – Avenida L2 Norte
70830-106 – Brasília (DF) – Brasil
www.febeditora.com.br
editorial@febnet.org.br
+55 61 2101 6161

Pedidos de livros à FEB
Comercial
Tel.: (61) 2101 6161 – comercial@febnet.org.br

Adquirindo esta obra, você está colaborando com as ações de assistência e promoção social da FEB e com o Movimento Espírita na divulgação do Evangelho de Jesus à luz do Espiritismo.

Dados Internacionais de Catalogação na Publicação (CIP)
(Federação Espírita Brasileira – Biblioteca de Obras Raras)

L953m   Luiz, André (Espírito)

         Os mensageiros / pelo Espírito André Luiz; [psicografado por] Francisco Cândido Xavier. – 47. ed. – 19. imp. – Brasília: FEB, 2024.

         328 p.; 21 cm – (Coleção A vida no mundo espiritual; 2)

         Inclue índice geral

         ISBN 978-85-7328-794-3

         1. Espiritismo. 2. Obras psicografadas. I. Xavier, Francisco Cândido, 1910–2002. II. Federação Espírita Brasileira. III. Título. IV. Coleção.

                                               CDD 133.93
                                               CDU 133.7
                                               CDE 00.06.02

Sumário

Os mensageiros 7
1 Renovação 11
2 Aniceto 17
3 No Centro de Mensageiros 23
4 O caso Vicente 29
5 Ouvindo instruções 35
6 Advertências profundas 41
7 A queda de Otávio 47
8 O desastre de Acelino 53
9 Ouvindo impressões 59
10 A experiência de Joel 65
11 Belarmino, o doutrinador 71
12 A palavra de Monteiro 77
13 Ponderações de Vicente 83
14 Preparativos 89
15 A viagem 95
16 No Posto de Socorro 101
17 O romance de Alfredo 107
18 Informações e esclarecimentos 113
19 O sopro 119
20 Defesas contra o mal 125
21 Espíritos dementados 131
22 Os que dormem 137
23 Pesadelos 143
24 A prece de Ismália 149

25	Efeitos da oração	155
26	Ouvindo servidores	161
27	O caluniador	167
28	Vida social	173
29	Notícias interessantes	179
30	Em palestra afetuosa	185
31	Cecília ao órgão	189
32	Melodia sublime	195
33	A caminho da crosta	201
34	Oficina de Nosso Lar	207
35	Culto doméstico	213
36	Mãe e filhos	219
37	No santuário doméstico	225
38	Atividade plena	231
39	Trabalho incessante	237
40	Rumo ao campo	243
41	Entre árvores	249
42	Evangelho no ambiente rural	255
43	Antes da reunião	261
44	Assistência	267
45	Mente enferma	273
46	Aprendendo sempre	279
47	No trabalho ativo	283
48	Pavor da morte	289
49	Máquina divina	295
50	A desencarnação de Fernando	301
51	Nas despedidas	307
	Índice geral	313

Os mensageiros

Lendo este livro, que relaciona algumas experiências de mensageiros espirituais, certamente muitos leitores concluirão, com os velhos conceitos da Filosofia, que "tudo está no cérebro do homem", em virtude da materialidade relativa das paisagens, observações, serviços e acontecimentos.

Forçoso é reconhecer, todavia, que o cérebro é o aparelho da razão e que o homem desencarnado, pela simples circunstância da morte física, não penetrou os domínios angélicos, permanecendo diante da própria consciência, lutando por iluminar o raciocínio e preparando-se para a continuidade do aperfeiçoamento noutro campo vibratório.

Ninguém pode trair as leis evolutivas.

Se um chimpanzé, guindado a um palácio, encontrasse recursos para escrever aos seus irmãos de fase evolucionária, quase não encontraria diferenças fundamentais para relacionar, ante o senso dos semelhantes. Daria notícias de uma vida animal aperfeiçoada e talvez a única zona inacessível às suas possibilidades de definição estivesse justamente na auréola da razão que envolve o espírito humano. Quanto às formas de vida, a mudança não seria profundamente sensível. Os pelos rústicos encontram sucessão nas casimiras e sedas modernas. A Natureza que cerca o ninho agreste é a mesma que fornece estabilidade à moradia do homem. A furna ter-se-ia transformado na edificação de pedra. O prado verde liga-se ao jardim civilizado. A continuação da espécie apresenta fenômenos quase idênticos. A lei da herança continua, com ligeiras modificações. A nutrição demonstra os mesmos trâmites. A união de família consanguínea revela os mesmos traços fortes. O chimpanzé, desse modo, somente encontraria dificuldade para enumerar os problemas do trabalho, da responsabilidade, da memória enobrecida, do sentimento purificado, da edificação espiritual, enfim, relativa à conquista da razão.

Em vista disso, não se justifica a estranheza dos que leem as mensagens do teor das que André Luiz endereça aos estudiosos devotados à construção espiritual de si mesmos.

O homem vulgar costuma estimar as expectativas ansiosas, à espera de acontecimentos espetaculares, esquecido de que a Natureza não se perturba para satisfazer a pontos de vista da criatura.

A morte física não é salto do desequilíbrio, é passo da evolução, simplesmente.

À maneira do macaco, que encontra no ambiente humano uma vida animal enobrecida, o homem que, após a morte física, mereceu o ingresso nos círculos elevados do Invisível encontra uma vida humana sublimada.

Naturalmente, grande número de problemas, referentes à Espiritualidade superior, aí espera a criatura, desafiando-lhe o conhecimento para a ascensão sublime aos domínios iluminados da vida. O progresso não sofre estacionamento e a alma caminha, incessantemente, atraída pela Luz imortal.

No entanto, o que nos leva a grafar este prefácio singelo não é a conclusão filosófica, mas a necessidade de evidenciar a santa oportunidade de trabalho do leitor amigo, nos dias que correm.

Felizes os que buscarem na revelação nova o lugar de serviço que lhes compete, na Terra, consoante a vontade de Deus.

O Espiritismo cristão não oferece ao homem tão somente o campo de pesquisa e consulta, no qual raros estudiosos conseguem caminhar dignamente, mas, muito mais que isso, revela a oficina de renovação, onde cada consciência de aprendiz deve procurar sua justa integração com a vida mais alta, pelo esforço interior, pela disciplina de si mesma, pelo autoaperfeiçoamento.

Não falta concurso divino ao trabalhador de boa vontade. E quem observar o nobre serviço de um Aniceto reconhecerá que não é fácil prestar assistência espiritual aos homens. Trazer a colaboração fraterna dos planos superiores aos Espíritos encarnados não é obra mecânica, enquadrada em princípios de menor esforço. Claro, portanto, que, para recebê-la, não poderá o homem fugir aos mesmos imperativos. É indispensável lavar o vaso do coração para receber a "água viva", abandonar envoltórios inferiores para vestir os "trajes nupciais" da luz eterna.

Entregamos, pois, ao leitor amigo, as novas páginas de André Luiz, satisfeitos por cumprir um dever. Constituem o relatório incompleto de uma semana de trabalho espiritual dos mensageiros do Bem junto aos homens e, acima de tudo, mostram a figura de um emissário consciente e benfeitor generoso em Aniceto, destacando as necessidades de ordem moral no quadro de serviço dos que se consagram às atividades nobres da fé.

Se procuras, amigo, a luz espiritual; se a animalidade já te cansou o coração, lembra-te de que, em Espiritualismo, a investigação conduzirá sempre ao Infinito, tanto no que se refere ao campo infinitesimal, como à esfera dos astros distantes, e que só a transformação de ti mesmo, à luz da Espiritualidade superior, te facultará acesso às fontes da Vida divina. E, sobretudo, recorda que as mensagens edificantes do Além não se destinam apenas à expressão emocional, mas, acima de tudo, ao teu senso de filho de Deus, para que faças o inventário de tuas próprias realizações e te integres, de fato, na responsabilidade de viver diante do Senhor.

EMMANUEL
Pedro Leopoldo (MG), 26 de fevereiro de 1944.

1
Renovação

Desligando-me dos laços inferiores que me prendiam às atividades terrestres, elevado entendimento felicitou-me o espírito. 1.1

Semelhante libertação, contudo, não se fizera espontânea.

Sabia, no fundo, quanto me custara abandonar a paisagem doméstica, suportar a incompreensão da esposa e a divergência dos filhos amados.

Guardava a certeza de que amigos espirituais, abnegados e poderosos, me haviam auxiliado a alma pobre e imperfeita na grande transição.

Antes, a inquietude relativa à companheira torturava-me incessantemente o coração, mas, agora, vendo-a profundamente identificada com o segundo marido, não via recurso outro que procurar diferentes motivos de interesse.

Foi assim que, eminentemente surpreendido, observei minha própria transformação no curso dos acontecimentos.

Experimentava o júbilo da descoberta de mim mesmo. Dantes, vivia à feição do caramujo, segregado na concha, impermeável aos grandiosos espetáculos da Natureza, rastejando no lodo. Agora, entretanto, convencia-me de que a dor agira em minha construção mental, à maneira do alvião pesado, cujos golpes eu não entendera de pronto. O alvião quebrara a concha de antigas viciações do sentimento. Libertara-me. Expusera-me o organismo espiritual ao sol da Bondade infinita. E comecei a ver mais alto, alcançando longa distância.

1.2 Pela primeira vez, cataloguei adversários na categoria de benfeitores. Comecei a frequentar, de novo, o ninho da família terrestre, não mais como senhor do círculo doméstico, mas como operário que ama o trabalho da oficina que a vida lhe designou. Não mais procurei, na esposa do mundo, a companheira que não pudera compreender-me, e sim a irmã a quem deveria auxiliar, quanto estivesse em minhas forças. Abstive-me de encarar o segundo marido como intruso que modificara meus propósitos, para ver apenas o irmão que necessitava o concurso de minhas experiências. Não voltei a considerar os filhos propriedade minha, e sim companheiros muito caros, aos quais me competia estender os benefícios do conhecimento novo, amparando-os espiritualmente na medida de minhas possibilidades.

Compelido a destruir meus castelos de exclusivismo injusto, senti que outro amor se instalava em minha alma.

Órfão de afetos terrenos e conformado com os desígnios superiores que me haviam traçado diverso rumo ao destino, comecei a ouvir o apelo profundo e divino, da Consciência universal.

Somente agora percebia quão distanciado vivera das leis sublimes que regem a evolução das criaturas.

A Natureza recebia-me com transportes de amor. Suas vozes, agora, eram muito mais altas que as dos meus interesses isolados. Conquistava, pouco a pouco, o júbilo de escutar-lhe os ensinamentos misteriosos no grande silêncio das coisas. Os elementos mais simples adquiriam, a meus olhos, extraordinária significação.

Os mensageiros | Capítulo 1

A colônia espiritual, que me abrigara generosamente, revelava novas expressões de indefinível beleza. O rumor das asas de um pássaro, o sussurro do vento e a luz do Sol pareciam dirigir-se à minha alma, enchendo-me o pensamento de prodigiosa harmonia.

A vida espiritual, inexprimível e bela, abrira-me os pórticos resplandecentes. Até então, vivera em Nosso Lar como hóspede enfermo de um palácio brilhante, tão extremamente preocupado comigo mesmo que me tornara incapaz de anotar deslumbramentos e maravilhas. **1.3**

A conversação espiritualizante tornara-se-me indispensável.

Aprazia-me, antigamente, torturar a própria alma com as reminiscências da Terra. Estimava as narrativas dramáticas de certos companheiros de luta, lembrando o meu caso pessoal e embriagando-me nas perspectivas de me agarrar, novamente, à parentela do mundo, valendo-me de laços inferiores. Mas agora... perdera totalmente a paixão pelos assuntos de ordem menos digna. As próprias descrições dos enfermos, nas Câmaras de Retificação, figuravam-se-me desprovidas de maior interesse. Não mais desejava informar-me da procedência dos infelizes, não indagava de suas aventuras nas zonas mais baixas. Buscava irmãos necessitados. Desejava saber em que lhes poderia ser útil.

Identificando essa profunda transformação, falou-me Narcisa certo dia:

— André, meu amigo, você vem fazendo a renovação mental. Em tais períodos, extremas dificuldades espirituais nos assaltam o coração. Lembre-se da meditação no Evangelho de Jesus. Sei que você experimenta intraduzível alegria ao contato da harmonia universal, após o abandono de suas criações caprichosas, mas reconheço que, ao lado das rosas do júbilo, defrontando os novos caminhos que se descerram para sua esperança, há espinhos de tédio nas margens das velhas estradas inferiores que você vai deixando para trás. Seu coração é uma taça iluminada aos raios do alvorecer divino, mas vazia dos sentimentos do mundo, que a encheram por séculos consecutivos.

1.4 Não poderia, eu mesmo, formular tão exata definição do meu estado espiritual.

Narcisa tinha razão. Suprema alegria inundava-me o espírito, ao lado de incomensurável sensação de tédio, quanto às situações da natureza inferior. Sentia-me liberto de pesados grilhões, porém não mais possuía o lar, a esposa, os filhos amados. Regressava frequentemente ao círculo doméstico e aí trabalhava pelo bem de todos, mas sem qualquer estímulo. Minha devotada amiga acertara. Meu coração era bem um cálice luminoso, porém vazio. A definição comovera-me.

Vendo-me as lágrimas silenciosas, Narcisa acentuou:

— Encha sua taça nas águas eternas daquele que é o Doador divino. Além disso, André, todos nós somos portadores da planta do Cristo, na terra do coração. Em períodos como o que você atravessa, há mais facilidade para nos desenvolvermos com êxito se soubermos aproveitar as oportunidades. Enquanto o espírito do homem se engolfa apenas em cálculos e raciocínios, o Evangelho de Jesus não lhe parece mais que repositório de ensinamentos comuns; mas, quando se lhe despertam os sentimentos superiores, verifica que as lições do Mestre têm vida própria e revelam expressões desconhecidas da sua inteligência, à medida que se esforça na edificação de si mesmo, como instrumento do Pai. Quando crescemos para o Senhor, seus ensinos crescem igualmente aos nossos olhos. Vamos fazer o bem, meu caro! Encha seu cálice com o bálsamo do amor divino. Já que você pressente os raios da alvorada nova, caminhe confiante para o dia!...

E, conhecendo meu temperamento de homem, amante do serviço movimentado, acrescentou generosa:

— Você tem trabalhado bastante aqui nas Câmaras, onde me preparo, por minha vez, considerando o futuro próximo, na carne. Não poderei, portanto, acompanhá-lo, mas creio deve você aproveitar os novos cursos de serviço, instalados no Ministério da Comunicação. Muitos companheiros nossos habilitam-se a prestar concurso na Terra, nos campos visíveis e invisíveis ao homem, acompanhados, todos eles, por nobres instrutores. Poderia você conhecer experiências novas, aprender muito e cooperar com excelente ação individual. Por que não tenta?

Antes que pudesse agradecer o alvitre valioso, Narcisa foi **1.5** chamada ao interior das Câmaras, a serviço, deixando-me dominado por esperanças diferentes de quantas abrigara até então, relativamente às minhas tarefas.

2
Aniceto

Comunicando meus novos propósitos a Tobias, verifiquei **2.1** a satisfação que lhe transpareceu do olhar.

— Fique tranquilo — disse bondoso —, você possui a quantidade necessária de horas de trabalho para justificar o pedido. Temos, por nossa vez, grande número de colegas na Comunicação. Não será difícil localizá-lo com instrutores amigos. Conhece o nosso estimado Aniceto?

— Não tenho esse prazer.

— É antigo companheiro de serviço — continuou informando amável — e esteve conosco na Regeneração, algum tempo. Em seguida, devotou-se a tarefas sacrificiais no Ministério do Auxílio e, hoje, é instrutor competente na Comunicação, onde vem prestando concurso respeitável. Conversarei, a respeito, com o ministro Genésio. Não tenha dúvidas. Seu desejo, André, é muito nobre aos nossos olhos.

O prestimoso companheiro deixou-me num mar de contentamento indefinível.

2.2   Comecei a compreender o valor do trabalho. A amizade de Narcisa e Tobias era tesouro de inapreciável grandeza, que o espírito de serviço me havia descortinado ao coração.

Novo setor de luta desdobrar-se-ia à minha alma. Não deveria perder a oportunidade. Nosso Lar estava cheio de entidades ansiosas por aquisições dessa natureza. Não seria justo entregar-me, de boa vontade, ao novo aprendizado? Além disso, certo da minha volta à carne, em futuro talvez não distante, a providência constituiria realização de profundo interesse ao meu aproveitamento geral.

Misteriosa alegria dominava-me todo, sublimada esperança iluminava-me os sentimentos. Aquele desejo ardente de colaborar em benefício dos outros, que Narcisa me acendera no íntimo, parecia encher, agora, a taça vazia do meu coração.

Trabalharia, sim. Conheceria a satisfação dos cooperadores anônimos da felicidade alheia. Procuraria a prodigiosa luz da fraternidade por meio do serviço às criaturas.

À noite, fui procurado por Tobias, sempre generoso, trazendo-me a confortadora aquiescência do ministro Genésio.

Com sorrisos afetuosos, convidou-me a acompanhá-lo. Conduzir-me-ia à presença de Aniceto para conversarmos relativamente ao assunto.

Emocionadíssimo, segui para a residência da nova personagem que se ligaria fundamente à minha vida espiritual.

Aniceto, ao contrário de Tobias, não se consorciara em Nosso Lar. Vivia ao lado de cinco amigos que lhe foram discípulos na Terra, em edifício confortável, encravado entre árvores frondosas e tranquilas que pareciam postas ali para protegerem extenso e maravilhoso roseiral.

Recebeu-nos com extrema gentileza, o que me causou excelente impressão. Aparentava ele a calma refletida do homem que chegou à idade madura, sem fantasias da mocidade inexperiente.

Embora lhe transparecesse muita energia no rosto, revelava o otimismo sadio do coração cheio de ideais sacrossantos. Muito sereno, recebeu todas as alegações do meu benfeitor, dirigindo-me, de quando em vez, olhares amistosos e indagadores.

Tobias falou longamente, comentando minha posição de ex-médico no plano terráqueo, agora em reajustamento de valores no plano espiritual. 2.3

Depois de examinar-me com atenção, o orientador aduziu:

— Não há o que embargar, meu prezado Tobias. No entanto, é preciso reconhecer que a solução depende do candidato. Sabe você que estamos aqui na Instituição do Homem Novo.

— André está pronto e disposto — adiantou o amigo, carinhosamente.

Aniceto fixou em mim o olhar penetrante e advertiu:

— Nosso serviço é variado e rigoroso. O departamento de trabalho, afeto à nossa responsabilidade, aceita somente os cooperadores interessados na descoberta da felicidade de servir. Comprometemo-nos, mutuamente, a calar toda espécie de reclamação. Ninguém exige expressão nominal nas obras úteis realizadas, e todos respondem por qualquer erro cometido. Achamo-nos, aqui, num curso de extinção das velhas vaidades pessoais, trazidas do mundo carnal. Dentro do mecanismo hierárquico de nossas obrigações, interessamo-nos tão somente pelo bem divino. Consideramos que toda possibilidade construtiva vem de nosso Pai e esta convicção nos auxilia a esquecer as exigências descabidas de nossa personalidade inferior.

Identificando-me a surpresa, Aniceto esboçou um gesto significativo e continuou:

— Nos trabalhos de emergência, destinados à preparação de colaboradores ativos, tenho um quadro suplementar de auxiliares, constante de 50 lugares para aprendizes. No momento, disponho de três vagas. Há intensa atividade de instrução, necessária a servidores que cooperarão em socorros urgentes na Terra. Orientadores há que se fazem acompanhar, nos serviços da crosta, por todo o pessoal em aprendizado, mas eu adoto processo diferente. Costumo dividir a classe em grupos especializados, de acordo com a profissão familiar aos estudantes, para melhor aproveitamento no preparo e na prática. Tenho, presentemente, um sacerdote católico-romano, um médico, seis engenheiros, quatro professores, quatro enfermeiras, dois pintores, onze irmãs especializadas em trabalhos domésticos e dezoito operários diversos. Em Nosso Lar, a ação que nos compete é desdobrada de maneira coletiva, mas, nos dias de aplicação na crosta terrestre, não me faço seguido de todos. Naturalmente, não se negará ao engenheiro, ou ao operário, o ensejo de aquisição de conhecimentos outros, que transcendem a paisagem de realizações que lhes cabem, mas tais manifestações devem constar do quadro de esforços espontâneos, no tempo vasto que cada qual aufere para descanso e entretenimento. Considerando, pois, o serviço atual, temos interesse em aproveitar as horas no limite máximo, não só em benefício dos que necessitam de nosso concurso fraternal, como também a favor de nós mesmos, no que toca à eficiência.

2.4 Ponderei, admirado, o curioso processo, enquanto o orientador fez longa pausa.

Após mergulhar toda a atenção em mim, como se desejasse perceber o efeito de suas palavras, Aniceto continuou:

— Este método não visa apenas a criar obrigações para os outros. Aqui, como na Terra, quem alcança a melhor porção, nas aulas e demonstrações, não é propriamente o discípulo, e sim o instrutor, que enriquece observações e intensifica experiências. Quando o ministro Espiridião me chamou a exercer o cargo, aceitei-o sob a condição de não perder tempo na melhoria e educação de mim mesmo. Desse modo, não preciso alongar-

-me noutras considerações. Creio haver dito o bastante. Se está, portanto, disposto, não posso recusar-me a aceitá-lo.

— Compreendo seus nobres programas — respondi comovido —, será honra para mim a possibilidade de acompanhá-lo e receber suas determinações de serviço. **2.5**

Aniceto esboçou a expressão fisionômica de quem atinge a solução desejada e concluiu:

— Pois bem, poderá começar amanhã.

E, dirigindo-se a Tobias, acrescentou:

— Encaminhe o nosso amigo, amanhã cedo, ao Centro de Mensageiros. Lá estaremos em estudo ativo e providenciarei para que André seja bonificado pelas tabelas da Comunicação.

Agradecemos, satisfeitos, e, logo em seguida a Tobias, despedi-me, alimentando novas esperanças.

3
No Centro de Mensageiros

No dia seguinte, após ouvir longas ponderações de Narcisa, **3.1**
demandei o Centro de Mensageiros, no Ministério da Comunicação. Acompanhava-me o prestimoso Tobias, não obstante os imensos trabalhos que lhe ocupavam o círculo pessoal.

Deslumbrado, atingi a série de majestosos edifícios de que se compõe a sede da instituição. Julguei encontrar algumas universidades reunidas, tal a enorme extensão deles. Pátios amplos, povoados de arvoredo e jardins, convidavam a sublimes meditações.

Tobias arrancou-me do encantamento, exclamando:

— O Centro é muito vasto. Atividades complexas são desempenhadas neste departamento de nossa colônia espiritual. Não creia esteja resumida a instituição nos edifícios sob nossos olhos. Temos, nesta parte, tão somente a administração central e alguns pavilhões destinados ao ensino e à preparação em geral.

— Mas esta organização imensa restringe-se ao movimento de transmissão de mensagens? — perguntei curioso.

O companheiro sorriu significativamente e esclareceu:

3.2 — Não suponha se encontre aqui localizado o serviço de correio simplesmente. O Centro prepara entidades a fim de que se transformem em cartas vivas de socorro e auxílio aos que sofrem no umbral, na crosta e nas trevas. Acreditaria, porventura, que tanto trabalho se destinasse apenas a mera movimentação de noticiário? Amplie suas vistas. Este serviço é a cópia de quantos se vêm fazendo nas mais diversas cidades espirituais dos planos superiores. Preparam-se aqui numerosos companheiros para a difusão de esperanças e consolos, instruções e avisos, nos diversos setores da evolução planetária. Não me refiro tão só a emissários invisíveis. Organizamos turmas compactas de aprendizes para a reencarnação. Médiuns e doutrinadores saem daqui às centenas, anualmente. Tarefeiros do conforto espiritual encaminham-se para os círculos carnais, em quantidade considerável, habilitados pelo nosso Centro de Mensageiros.

— Que me diz? — interroguei surpreso. — Segundo seus informes, os trabalhos de esclarecimento espiritual devem estar muitíssimo adiantados no mundo!...

Fixou Tobias expressão singular, sorriu tranquilamente e explicou:

— Você não ponderou, todavia, meu caro André, que essa preparação não constitui, ainda, a realização propriamente dita. Saem milhares de mensageiros aptos para o serviço, mas são muito raros os que triunfam. Alguns conseguem execução parcial da tarefa, outros muitos fracassam de todo. O serviço legítimo não é fantasia. É esforço sem o qual a obra não pode aparecer nem prevalecer. Longas fileiras de médiuns e doutrinadores para o mundo carnal partem daqui com as necessárias instruções, porque os benfeitores da Espiritualidade superior, para intensificarem a redenção humana, precisam de renúncia e de altruísmo. Quando os mensageiros se esquecem do espírito missionário e da dedicação aos semelhantes, costumam transformar-se em instrumentos inúteis. Há médiuns e mediunidade, doutrinadores e doutrina, como existem a enxada e os trabalhadores. Pode a enxada ser excelente, mas, se falta espírito de serviço no cultivador, o ganho da enxada será inevitavelmente a ferrugem. Assim acontece com as faculdades psíquicas e com os grandes conhecimentos. A expressão mediúnica pode ser riquíssima; entretanto, se o dono não consegue olhar além dos interesses próprios, fracassará fatalmente na tarefa que lhe foi conferida. Acredite, meu caro, que todo trabalho construtivo tem as batalhas que lhe dizem respeito. São muito escassos os servidores que toleram as dificuldades e reveses das linhas de frente. Esmagadora percentagem permanece a distância do fogo forte. Trabalhadores sem conta recuam quando a tarefa abre oportunidades mais valiosas.

Algo impressionado, considerei: **3.3**

— Isto me surpreende sobremaneira. Não supunha fossem preparados, aqui, determinados mensageiros para a vida carnal.

— Ah! meu amigo — falou Tobias sorridente —, poderia você admitir que as obras do bem estivessem circunscritas a simples operações automáticas? Nossa visão, na Terra, costuma viciar-se no círculo dos cultos externos, na atividade religiosa. Cremos, por lá, resolver todos os problemas pela atitude suplicante. Entretanto, a genuflexão não soluciona questões fundamentais do espírito, nem a mera adoração à Divindade constitui a máxima edificação. Em verdade, todo ato de humildade e amor é respeitável e santo, e, incontestavelmente, o Senhor nos concederá suas bênçãos; no entanto, é imprescindível considerar que a manutenção e limpeza do vaso, para recolhê-las, é dever que nos assiste. Não preparamos, pois, neste Centro, simples postalistas, mas espíritos que se transformem em cartas vivas de Jesus para a humanidade encarnada. Pelo menos, este é o programa de nossa administração espiritual...

Calei, emocionado, ponderando a grandeza dos ensinamentos. Meu companheiro, após longa pausa, prosseguiu observando:

3.4 — Raros triunfam, porque quase todos estamos ainda ligados a extenso pretérito de erros criminosos que nos deformaram a personalidade. Em cada novo ciclo de empreendimentos carnais, acreditamos muito mais em nossas tendências inferiores do passado que nas possibilidades divinas do presente, complicando sempre o futuro. É desse modo que prosseguimos, por lá, agarrados ao mal e esquecidos do bem, chegando, por vezes, ao disparate de interpretar dificuldades como punições, quando todo obstáculo traduz oportunidade verdadeiramente preciosa aos que já tenham "olhos de ver".

A essa altura, alcançamos enorme recinto.

Centenas de entidades penetravam no vasto edifício, cujas escadarias galgamos em animada conversação.

Os aspectos do maravilhoso átrio impressionavam pela imponente beleza. Espécies de flores, até então desconhecidas para mim, adornavam colunatas, espalhando cores vivas e delicioso perfume.

Quebrando-me o enlevo, Tobias explicou:

— As diversas turmas de aprendizes encaminham-se às aulas. Procuremos Aniceto no departamento de instrutores.

Atravessamos galerias vastíssimas, sempre defrontados por verdadeiras multidões de entidades que buscavam as aulas, em palestras vibrantes.

Em pequeno grupo que parecia manter conversação muito discreta, encontramos o generoso amigo da véspera, que nos abraçou sorridente e calmo.

— Muito bem! — disse alegre e bondoso. — Esperava o novo aluno desde a manhãzinha.

E em virtude de Tobias alegar muita pressa, o nobre instrutor explicou:

— Doravante, André ficará aos meus cuidados. Volte tranquilo.

Despedi-me do companheiro comovidamente.

3.5

Notando-me o natural acanhamento, Aniceto determinou a um auxiliar de serviço:

— Chame o Vicente em meu nome.

E, voltando-se para mim, esclareceu:

— Até agora, Vicente é o meu único aprendiz médico. Vocês ficarão juntos, em vista da afinidade profissional.

Não haviam decorrido três minutos e tínhamos Vicente diante de nós.

— Vicente — falou Aniceto sem afetação —, André Luiz é nosso novo colaborador. Foi também médico nas esferas carnais. Creio, pois, que ambos se encontrarão à vontade, partilhando a mesma experiência.

O interpelado abraçou-me, demonstrando extrema generosidade, e, após encorajar-me com belas palavras de estímulo, perguntou ao nosso orientador:

— Quando deveremos procurá-lo para os estudos de hoje?

Aniceto pensou um instante e respondeu:

— Esclareça ao novo candidato os nossos regulamentos e venham juntos para as instruções, após o meio-dia.

4
O caso Vicente

Impossível traduzir meu contentamento com a nova **4.1** companhia.

Vicente, semblante muito calmo, olhar inteligente e lúcido, irradiava carinho e bondade, sensatez e compreensão.

Disse-me de sua alegria por haver encontrado um companheiro médico, alojou-me convenientemente junto dele, demonstrando extrema generosidade fraternal.

Era o primeiro colega na profissão, igualmente recém-chegado das esferas da crosta, de quem me aproximava de modo direto.

Trocamos ideias largamente sobre as surpresas que nos defrontavam. Comentamos as dificuldades oriundas da ilusão terrestre, a miopia da pequena ciência, os problemas profundos e sedutores da medicina espiritual.

Vicente, conquanto não houvesse feito ainda qualquer visita ao plano dos encarnados, em caráter de serviço, admirava Aniceto extraordinariamente e punha-me ao corrente dos estudos valiosos a que se entregava junto dele.

4.2   Estava cheio de conceitos entusiásticos. Em pouco mais de uma hora, nossa intimidade semelhava-se ao sentimento de dois irmãos unidos, desde muito, por laços espirituais. O novo companheiro conquistara-me infinita confiança.

Evidenciando nímia delicadeza, indagou da minha posição perante os parentes terrestres, ao que respondi com a história resumida de minha singular aventura ao conhecer as segundas núpcias de minha viúva. Imprimi toda a ênfase possível ao meu relatório verbal, sensibilizando-me, profundamente, no curso da narrativa. Em cada pormenor culminante dos fatos, detinha-me de propósito, salientando meus velhos sofrimentos e relacionando dissabores que me pareciam insuperáveis.

Vicente ouviu silencioso, sorrindo a intervalos.

Quando terminei a comovida exposição, ele pôs-me a destra no ombro e murmurou:

— Não se julgue desventurado e incompreendido. Saiba, meu caro André, que você foi muitíssimo feliz.

— Como assim?

— Sua Zélia respeitou o companheiro até ao fim, e o segundo matrimônio, em tais circunstâncias, não é de admirar. No meu caso, porém, a coisa foi muito pior.

E, dado meu justo espanto, o novo amigo continuou:

— Explico-me.

Meditou alguns instantes, como quem alinhava reminiscências, e prosseguiu:

— Não pode você imaginar como foi intenso o sonho de amor do meu casamento. Logo após a aquisição do diploma profissional, aos 25 anos, esposei Rosalinda, exultante de ventura. Não levava à esposa tão somente uma situação material confortadora e sólida no terreno financeiro, mas também os meus tesouros de afeto e devotamento. Minha felicidade não tinha limites. Em pouco tempo, dois filhinhos enriqueceram-me o lar ditoso. Meu bem-estar era inexprimível. Em virtude das reservas bancárias, não me especializei na clínica, consagrando-me, todavia, apaixonadamente, ao laboratório. Atendendo aos meus pendores, não me foi difícil atrair a confiança de numerosos colegas e vários centros de estudos, multiplicando pesquisas e resultados brilhantes. E Rosalinda era a minha primeira e melhor colaboradora. De quando em quando, notava-lhe o enfado no trato com os tubos de ensaio, mas minha esposa sabia então calar as contrariedades pequeninas a favor da nossa felicidade doméstica. Parecia compreender-me integralmente. Era, aos meus olhos, a mãe dedicada e companheira sem defeitos.

"Contávamos dez anos de ventura conjugal quando meu irmão Eleutério, advogado, solteiro, algo mais velho que eu, deliberou localizar-se junto de nós. Rosalinda foi inexcedível em atenções, considerando que se tratava de pessoa de minha família. Eleutério entrou em nossa casa como irmão. Embora residisse em hotel, compartilhava dos nossos serões caseiros, sempre bem-posto e interessado em agradar. 4.3

"Observei, desde então, que minha mulher se modificava pouco a pouco. Exigiu fosse contratada uma auxiliar que a substituísse nos meus serviços, alegando que os nossos filhinhos não dispensavam assistência maternal mais assídua. Anuí satisfeito. Tratava-se, afinal, de providência interessante ao bem-estar de nossos filhos. Contudo, a transformação de Rosalinda assumiu caráter impressionante. Passou a não comparecer ao laboratório, onde tantas vezes nos abraçávamos alegremente ao vermos coroadas de êxito nossas pesquisas mais sérias. Preferia o cinema ou a estação de repouso em companhia de Eleutério.

"Isso me entristecia bastante, mas eu não poderia desconfiar da conduta de meu irmão. Fora sempre criterioso em família, não obstante ousado e filaucioso nas atividades profissionais.

4.4 "Minha vida doméstica, antes tão feliz, passou a ser de solidão assaz amarga, que eu tentava iludir com o trabalho persistente e honesto.

"Assim corriam as coisas quando singular transformação me alterou a experiência. Pequena borbulha na fossa nasal, que nunca me trouxera incômodos de qualquer natureza, depois de levemente ferida, tomou caráter de extrema gravidade. Em poucas horas, declarou-se a septicemia. Reuniram-se colegas em verdadeira assembleia, junto de meu leito. Inúteis, todavia, todos os cuidados; anuladas as melhores expressões de assistência. Compreendi que o fim se aproximava rápido. Rosalinda e Eleutério pareciam consternados e, até hoje, guardo a impressão de rever-lhes o olhar ansioso, no momento em que a neblina da morte me envolvia os olhos materiais."

Nessa altura, Vicente fez longo estacato,[1] como a fixar reminiscências mais dolorosas, e continuou menos vivaz:

— Depois de algum tempo de tristes perturbações nas zonas inferiores, quando já me encontrava restabelecido em Nosso Lar, certifiquei-me de toda a verdade. Voltando ao lar terreno, encontrei a grande surpresa. Rosalinda havia desposado Eleutério em segundas núpcias.

— Como são idênticas as nossas histórias! — exclamei impressionado.

— Isso é que não — protestou a sorrir.

E continuou:

— Outra surpresa me dilacerava o coração. Somente ao regressar ao lar, soube que fora vítima de odioso crime. Meu próprio irmão inspirou a trama sutil e perversa. Minha mulher e ele apaixonaram-se perdidamente um pelo outro e cederam a tentações inferiores. Não havia que recorrer a divórcio, e, mesmo que

---

[1] N.E.: Neologismo, provavelmente do italiano *staccato*: separado, destacado. Figuradamente, "suspense, pausa".

a legislação o facultasse, constituiria um escândalo o afastamento de Rosalinda para unir-se, publicamente, ao cunhado. Eleutério lembrou, porém, que possuíamos experiências de laboratório e sugeriu a Rosalinda a ideia de me aplicarem determinada cultura microbiana, que ele mesmo se incumbiria de obter, na primeira oportunidade. A pobre da companheira não vacilou e, valendo-se do meu sono descuidado, introduziu na minúscula espinha nasal, algo ferida, o vírus destruidor.

"E aí tem você o meu caso naturalmente resumido."

4.5

Eu estava assombrado.

— E os criminosos? — perguntei.

Vicente sorriu ligeiramente e informou:

— Rosalinda e Eleutério vivem aparentemente felizes, são excelentes materialistas, por enquanto, e gozam, no mundo transitório, grande fortuna amoedada e alto conceito social.

— Mas... e a justiça? — indaguei aterrado.

— Ora, André — esclareceu serenamente —, tudo vem a seu tempo, tanto no bem quanto no mal. Primeiro a semente, depois os frutos.

Percebendo-me, porém, as tristes impressões, Vicente concluiu:

— Não falemos mais nisto. Aproxima-se a hora da instrução. Atendamos às nossas necessidades essenciais, auxiliando os nossos amados, que ainda permanecem a distância, nos círculos terrestres. Não se impressione. A árvore, para produzir, não reclama as folhas mortas. Para nós, atualmente, meu amigo, o mal é simples resultado da ignorância e nada mais.

5
Ouvindo instruções

No grande salão, Aniceto esperava-nos, acolhedor.   **5.1**
Fileiras enormes de assistentes enchiam o espaço vastíssimo.

Homens e mulheres, aparentando idades diversas, permaneciam recolhidos, a demonstrar, porém, expectativa e interesse.

— Hoje — explicou o nosso orientador, dirigindo-se a Vicente de maneira particular —, teremos a palavra de Telésforo, antigo lidador da Comunicação, que pediu a presença de todos os aprendizes do trabalho de intercâmbio entre nós e os irmãos encarnados.

Sentamo-nos confortavelmente, aguardando por nossa vez.

Daí a minutos, Telésforo penetrava no recinto, sob harmoniosas vibrações de simpatia geral.

Aniceto e outros instrutores instalaram-se ao lado dele, em torno da mesa nobre, onde se localizava a direção da assembleia.

Após saudar a assistência numerosíssima, formulando votos de paz e incentivando-nos aos testemunhos redentores, Telésforo atingiu o assunto principal que o levara até ali.

5.2   — Agora — disse com autoridade sem afetação — conversaremos sobre as necessidades da representação de nossa colônia nos trabalhos terrestres. Aqui se encontram companheiros fracassados nas intenções mais nobres e irmãos outros desejosos de colaborar nas tarefas que condizem com as nossas responsabilidades atuais. Referimo-nos às laboriosas atividades da Comunicação no plano carnal. Vemos nesta reunião grande parte dos cooperadores de Nosso Lar que faliram nas missões da mediunidade e da doutrinação, bem como outros muitos colegas que se preparam para provas dessa natureza, nos círculos da crosta.

"Nossa repartição vem promovendo grande movimento de auxílio a irmãos encarnados e desencarnados que se revelam incapazes de qualquer ação além da superfície terrestre.

"Nossa tarefa é enorme. Precisamos disseminar ensinamentos novos, relativamente à preparação dos que habitam nossa colônia, considerando os esforços e realizações do presente e do porvir.

"É indispensável socorrer os que enfrentam, corajosos, as profundas transformações do planeta.

"As transições essenciais da existência na Terra encontram a maioria dos homens absolutamente distraídos das realidades eternas. A mente humana abre-se, cada vez mais, para o contato com as expressões invisíveis, dentro das quais funciona e se movimenta. Isto é uma fatalidade evolutiva. Desejamos e necessitamos auxiliar as criaturas terrestres; todavia, contra a extensão de nosso concurso fraterno, operam dilatadas correntes de incompreensão. Não relacionamos apenas a ação da ignorância e da perversidade. Age, contraditoriamente, nesse particular, grande número de forças do próprio espiritualismo. Combatem-nos algumas escolas cristãs, como se não colaborássemos com o Mestre divino. A Igreja Romana classifica-nos a cooperação como diabólica. A Reforma Luterana, em seus matizes variados, persegue-nos a colaboração amistosa. E há correntes espiritualistas de elevado teor educativo, que nos malsinam a influência por quererem o homem aperfeiçoado de um dia para outro, rigorosamente redimido a golpe instantâneo da vontade, sem realização metódica.

"No campo de nosso conhecimento da vida, não podemos condená-los pelo desentendimento atual. O Catolicismo romano tem suas razões ponderáveis; o Protestantismo é digno de nosso acatamento; as escolas espiritualistas possuem notáveis edificações. Toda expressão religiosa é sagrada, todo movimento superior de educação espiritual é santo em si mesmo. Temos, então, diante de nós, a incompreensão dos bons, que constitui dolorosa prova para todos os trabalhadores sinceros, porque, afinal, não estamos fazendo obra individual, e sim promovendo movimento libertador da consciência humana, a favor da própria ideia religiosa do mundo. 5.3

"Sacerdotes e intérpretes dos núcleos organizados da Religião e da Filosofia não percebem ainda que o espírito da Revelação é progressivo, como a alma do homem. As concepções religiosas se elevam com a mente da criatura. Muitas igrejas não compreendem, por enquanto, que não devemos espalhar a crença nos tormentos eternos para os desventurados, e sim a certeza de que há homens infernais criando infernos para si mesmos.

"Não podemos, porém, perder tempo no exame da teimosia alheia. Temos serviços complexos e dilatados. E, como dizíamos, a humanidade terrena aproxima-se, dia a dia, da esfera de vibrações dos invisíveis de condição inferior, que a rodeia em todos os sentidos. Mas, segundo reconhecemos, esmagadora percentagem de habitantes da Terra não se preparou para os atuais acontecimentos evolutivos. E os mais angustiosos conflitos se verificam no sendal humano. A Ciência progride vertiginosamente no planeta, e, no entanto, à medida que se suprimem sofrimentos do corpo, multiplicam-se aflições da alma. Os jornais do mundo estão cheios de notícias maravilhosas quanto ao progresso material.

Segredos sublimes da Natureza são surpreendidos nos domínios do mar, da terra e do ar, mas a estatística dos crimes humanos é espantosa. Os assassínios da guerra apresentam requintes de perversidade muito além dos que foram conhecidos em épocas anteriores. Os homicídios, os suicídios, as tragédias conjugais, os desastres do sentimento, as greves, os impulsos revolucionários da indisciplina, a sede de experimentação inferior, a inquietação sexual, as moléstias desconhecidas, a loucura invadem os lares humanos. Não existe em país algum preparação espiritual bastante para o conforto físico. Entretanto, esse conforto tende a aumentar naturalmente. O homem dominará, cada vez mais, a paisagem exterior que lhe constitui moradia, embora não se conheça a si mesmo. Atendido, porém, o corpo revelará as necessidades da alma, e vemos agora a criatura terrestre assoberbada de problemas graves, não só pelas deficiências de si própria, senão também pela espontânea aproximação psíquica com a esfera vibratória de milhões de desencarnados, que se agarram à crosta planetária, sequiosos de renovar a existência que menosprezaram sem maior consideração aos desígnios do Eterno.

5.4   A rigor, também nós compreendemos que os serviços da Comunicação, no mundo, deveriam realizar-se apenas no plano da inspiração divina para os círculos terrenos, do superior para o inferior, mas como agir diante de milhões de enfermos e criminosos nas zonas visíveis e invisíveis da experiência humana? Pelo simples culto externo, como pretende a Igreja de Roma? Pelo ato de fé, exclusivamente, como espera a Reforma Protestante? Por mera afirmação da vontade, conforme pontificam certas escolas espiritualistas? Não podemos, no entanto, circunscrever apreciações, na visão unilateral do problema. Concordamos que a reverência ao Pai, a fé e a vontade são expressões básicas da realização divina no homem, mas não podemos esquecer que o trabalho é necessidade fundamental de cada espírito. Que outros irmãos nossos perseverem, tão somente, nas especulações teológicas; encaremos, porém, os serviços do Senhor, como se faz indispensável.

A humanidade terrena, atualmente, é como um grande organismo coletivo, cujas células, que são as personalidades humanas, se envolvem no desequilíbrio entre si, em processo mundial de reajustamento e redenção.   5.5

Quantos cooperam conosco veem a extensão dos cipoais em que se debate a mente humana. Criminosos agarram-se a criminosos, doentes associam-se a doentes. Precisamos oferecer, no mundo, os instrumentos adequados às retificações espirituais, habilitando nossos irmãos encarnados a um maior entendimento do Espírito do Cristo. Para consegui-lo, todavia, necessitamos de colaboradores fiéis, que não cogitem de condições, compensações e discussões, mas que se interessem pela sublimidade do sacrifício e de renunciação com o Senhor.

A essa altura, Telésforo interrompeu a lição em curso, e, fixando o olhar percuciente na assembleia, tornou em voz mais alta:

— Quem não deseje servir procure outros gêneros de tarefa. A Comunicação não comporta perda de tempo nem experimentação doentia, sem grave prejuízo dos cooperadores incautos. Noutros Ministérios, a designação de trabalhadores define, com precisão, todos os que colaboram com o divino Mestre. Aqui, porém, acima de trabalhadores, precisamos de servidores que atendam de boa vontade.

Nesse instante, em vista doutra longa pausa, identifiquei a forte impressão dos ouvintes, que se entreolhavam com inexprimível espanto.

6
Advertências profundas

— Irmãos nossos — prosseguiu Telésforo, sob o calor de 6.1
sagrada inspiração —, fazem-se ouvir na Terra gritos comovedores de sofrimento. Necessitamos de servidores que desejem integrar-se na escola evangélica da renúncia.

"Desde as primeiras tarefas do Espiritismo renovador, Nosso Lar tem enviado diversas turmas ao trabalho de disseminação de valores educativos. Centenas de companheiros partem daqui anualmente, aliando necessidades de resgate ao serviço redentor, mas ainda não conseguimos os resultados desejáveis. Alguns alcançaram resultados parciais nas tarefas a desenvolver, mas a maioria tem fracassado ruidosamente. Nossos institutos de socorro debalde movimentam medidas de assistência indispensável. Raríssimos conquistam algum êxito nos delicados misteres da mediunidade e da doutrinação.

"Outras colônias de nossa esfera providenciam tarefas da mesma natureza, mas pouquíssimos são os que se lembram das realidades eternas, no "outro lado do véu"... A ignorância domina a maioria das consciências encarnadas. E a ignorância é mãe das misérias, das fraquezas, dos crimes. Grandes instrutores, nos fluidos da carne, amedrontam-se por sua vez, diante dos atritos humanos, e se recolhem, indevidamente, na concepção que lhes é própria. Esquecem-se de que Jesus não esperou que os homens lhe atingissem as glórias magnificentes e que, ao invés, desceu até ao plano dos homens para amar, ensinar e servir. Não exigiu que as criaturas se fizessem imediatamente iguais a Ele, mas fez-se como os homens, para ajudá-los na subida áspera."

6.2   E, com profundo brilho no olhar, Telésforo acentuou, depois de pequeno intervalo:

— Se o Mestre divino adotou essa norma, que dizer das nossas obrigações de criaturas falidas?

"Abstraindo-nos das necessidades imensas de outros grupos, procuremos identificar as falhas existentes naqueles que nos são afins.

"Em derredor de nós mesmos, os laços pessoais constituem extenso campo de atividade para o testemunho.

"Cesse, para nós outros, a concepção de que a Terra é o vale tenebroso, destinado a quedas lamentáveis, e agasalhemos a certeza de que a esfera carnal é uma grande oficina de trabalho redentor. Preparemo-nos para a cooperação eficiente e indispensável. Esqueçamos os erros do passado e lembremo-nos de nossas obrigações fundamentais.

"A causa geral dos desastres mediúnicos é a ausência da noção de responsabilidade e da recordação do dever a cumprir.

"Quantos de vós fostes abonados, aqui, por generosos benfeitores que buscaram auxiliar-vos, condoídos de vosso pretérito cruel? Quantos de vós partistes, entusiastas, formulando enormes promessas? Entretanto, não soubestes recapitular dignamente, para aprender a servir, conforme os desígnios superiores do Eterno. Quando o Senhor vos enviava possibilidades materiais para o necessário,

Os mensageiros | Capítulo 6

regressáveis à ambição desmedida; ante o acréscimo de misericórdia do labor intensificado, agarrastes a ideia da existência cômoda; junto às experiências afetivas, preferistes os desvios sexuais; ao lado da família, voltastes à tirania doméstica, e aos interesses da vida eterna sobrepusestes as sugestões inferiores da preguiça e da vaidade. Destes-vos, na maioria, à palavra sem responsabilidade e à indagação sem discernimento, amontoando atividades inúteis. Como médiuns, muitos de vós preferíeis a inconsciência de vós mesmos; como doutrinadores, formuláveis conceitos para exportação, jamais para uso próprio.

"Que resultado atingimos? Grandes massas batem às fontes do Espiritismo sagrado, tão só no propósito de lhe mancharem as águas. Não são procuradores do Reino de Deus os que lhe forçam, desse modo, as portas, e sim caçadores dos interesses pessoais. São os sequiosos da facilidade, os amigos do menor esforço, os preguiçosos e delinquentes de todas as situações, que desejam ouvir os Espíritos desencarnados, receosos da acusação que lhes dirige a própria consciência. O fel da dúvida invade o bálsamo da fé, nos corações bem-intencionados. A sede de proteção indevida azorraga os seguidores da ociosidade. A ignorância e a maldade entregam-se às manifestações inferiores da magia negra. 6.3

"Tudo por que, meus irmãos? Porque não temos sabido defender o sagrado depósito, por termos esquecido, em nossos labores carnais, que Espiritismo é revelação divina para a renovação fundamental dos homens. Não atendemos, ainda, como se faz indispensável, à construção do "Reino de Deus" em nós.

"Contudo, não abandonemos nossos deveres em meio a tarefa. Voltemos ao campo, retificando as semeaduras. O Ministério da Comunicação vem incentivando esse movimento renovador. Necessitamos de servidores de boa vontade, leais ao espírito da fé. Não serão admitidos os que não desejarem conhecer a glória oculta da cruz do testemunho, nem atendem aqui os que se aproximem com objetivos diferentes...

6.4 "Aqui estamos todos, companheiros da Comunicação, endividados com o mundo, mas esperançosos de êxito em nossa tarefa permanente. Levantemos o olhar. O Senhor renova diariamente nossas benditas oportunidades de trabalho, mas, para atingirmos os resultados precisos, é imprescindível sejamos seguidores da renunciação ao inferior. Nenhum de nós, dos que aqui nos encontramos, está livre do ciclo de reencarnações na crosta. Todos, portanto, somos sequiosos de vida eterna. Não olvidemos, desse modo, o Calvário de Nosso Senhor, convictos de que toda saída dos planos mais baixos deve ser uma subida para a esfera superior. E ninguém espere subir, espiritualmente, sem esforço, sem suor e sem lágrimas!..."

Nesse momento, cessou a preleção de Telésforo, que abençoou a assembleia, mostrando o olhar infinitamente brilhante e aceitando, em seguida, o braço de Aniceto, para afastar-se.

Debaixo de profunda impressão, em face das incisivas declarações do instrutor, observei que numerosos circunstantes choravam em silêncio.

Ao meu olhar interrogativo, Vicente explicou:

— São servidores fracassados.

Nesse instante, Telésforo e o nosso orientador postaram-se junto de nós.

Duas senhoras de grave fisionomia aproximaram-se respeitosamente e uma delas dirigiu-se a Aniceto, nestes termos:

— Desejávamos o obséquio de uma informação concernente à próxima oportunidade de serviço que será concedida a Otávio.

— O Ministério prestará esclarecimentos — respondeu o interpelado, atencioso.

— Todavia — tornou a interlocutora —, ousaria reiterar-lhe o pedido. É que Marina, grande amiga nossa, casada na Terra há alguns meses, prometeu-me cooperação para auxiliá-lo, e seria muito de meu agrado localizar, agora, o meu pobre filho em novos braços maternais.

Aniceto esboçou um gesto de compreensão, sorriu e esclareceu, sem afetação:

— Convém não estabelecer o plano por enquanto, porque, antes de tudo, precisamos conhecer a solução do processo de médiuns fracassados, em que está ele envolvido. Somente depois, minha irmã.

6.5

Volvi os olhos para o Vicente, sem ocultar a surpresa, mas, enquanto as senhoras se retiravam conformadas, Aniceto dirigia-nos a palavra:

— Tenho serviços imediatos em companhia de Telésforo. Deixo-os, a todos, em estudos e observações aqui no Centro de Mensageiros.

Retirou-se Aniceto com os maiores, e um companheiro declarou alegremente:

— Podemos conversar.

— Nosso orientador — explicou-me Vicente, solícito — considera trabalho útil toda conversação sadia que nos enriqueça os conhecimentos e aptidões para o serviço. Pelas nossas palestras construtivas, portanto, receberemos também a remuneração devida à cooperação normal.

Curioso e surpreendido, indaguei:

— E se eu tentasse voltar aos assuntos inferiores da Terra, esquecendo a conversação edificante?

Vicente sorriu e retrucou:

— O prejuízo seria seu, porque aqui a palavra define o Espírito, e, se você fugisse à luz da palestra instrutiva, nossos orientadores conheceriam sua atitude imediatamente, porquanto sua presença se tornaria desagradável e seu rosto se cobriria de sombra indefinível.

7
A queda de Otávio

A ausência de Aniceto deu ensejo a palestras interessantes. **7.1** Formaram-se grupos de conversação amiga.

Impressionado com as senhoras que haviam solicitado providências para Otávio, pedi a Vicente me apresentasse a elas, não que me movesse curiosidade menos digna, mas desejo de alcançar novos valores educativos sobre a tarefa mediúnica, que a palavra de Telésforo me fizera sentir em tons diferentes.

O amigo atendeu de boa mente.

Em breves momentos, não me achava tão só à frente das irmãs Isaura e Isabel, mas do próprio Otávio, um pálido senhor que aparentava 40 anos.

— Também sou principiante aqui — expliquei — e minha condição é a do médico falido nos deveres que o Senhor lhe confiou.

Otávio sorriu e respondeu:

— Possivelmente, o meu amigo terá a seu favor o fato de haver ignorado as verdades eternas, no mundo. O mesmo não ocorre comigo, ai de mim! Não desconhecia o roteiro certo, que o Pai me designava para as lutas na Terra. Não possuía títulos oficializados de competência; entretanto, dispunha de considerável cultura evangélica, coisa que, para a vida eterna, é de maior importância que a cultura intelectual, simplesmente considerada. Tive amigos generosos do plano superior, que se faziam visíveis aos meus olhos, recebi mensagens repletas de amor e sabedoria e, no entanto, caí mesmo assim, obedecendo à imprevidência e à vaidade.

7.2 As observações de Otávio impressionavam-me vivamente. Quando no mundo, eu não tivera contato especial com as escolas espiritistas e experimentava certa dificuldade para compreender tudo quanto ele desejava dizer.

— Ignorava a extensão das responsabilidades mediúnicas — respondi.

— As tarefas espirituais — tornou o interlocutor, algo acabrunhado — ocupam-se de interesses eternos e daí a enormidade de minha falta. Os mordomos de bens da alma estão investidos de responsabilidades pesadíssimas. Os estudiosos, os crentes, os simpatizantes, no campo da fé, podem alegar ignorância e inibição; todavia, os sacerdotes não têm desculpa. É o mesmo que se verifica na tarefa mediúnica. Os aprendizes ou beneficiários, nos templos da Revelação nova, podem referir-se a determinados impedimentos, mas o missionário é obrigado a caminhar com um patrimônio de certezas tais, que coisa alguma o exonera das culpas adquiridas.

— Mas, meu amigo — perguntei assaz impressionado —, que teria motivado seu martírio moral? Noto-o tão consciente de si mesmo, tão superiormente informado sobre as leis da vida, que me custa acreditar se encontre necessitado de novas experiências nesse capítulo...

Ambas as senhoras presentes mostravam estranho brilho no olhar, enquanto Otávio respondia:

— Relatarei minha queda. Verá como perdi maravilhosa oportunidade de elevação. 7.3

E, após mais longa pausa, continuou gravemente:

— Depois de contrair dívidas enormes na esfera carnal, noutro tempo, vim bater às portas de Nosso Lar, sendo atendido por irmãos dedicados, que se revelaram incansáveis para comigo. Preparei-me, então, durante trinta anos consecutivos, para voltar à Terra em tarefa mediúnica, desejoso de saldar minhas contas e elevar-me alguma coisa. Não faltaram lições verdadeiramente sublimes, nem estímulos santos ao meu coração imperfeito. O Ministério da Comunicação favoreceu-me com todas as facilidades e, sobretudo, seis entidades amigas movimentaram os maiores recursos em benefício do meu êxito. Técnicos do Auxílio acompanharam-me à Terra, nas vésperas do meu renascimento, entregando-me um corpo físico rigorosamente sadio. Segundo a magnanimidade dos meus benfeitores daqui, ser-me-ia concedido certo trabalho de relevo na esfera de consolação às criaturas. Permaneceria junto das falanges de colaboradores encarregados do Brasil, animando-lhes os esforços e atendendo a irmãos outros, ignorantes, perturbados ou infelizes. O matrimônio não deveria entrar na linha de minhas cogitações, não que o casamento possa colidir com o exercício da mediunidade, mas porque meu caso particular assim o exigia. Nada obstante, solteiro, deveria receber, aos 20 anos, os seis amigos que muito trabalharam por mim, em Nosso Lar, os quais chegariam ao meu círculo como órfãos. Meu débito para com essas entidades tornou-se muito grande e a providência não só constituiria agradável resgate para mim, como também garantia de triunfo pelo serviço de assistência a elas, o que me preservaria o coração de leviandades e vacilações, porquanto o ganha-pão laborioso me compeliria a não aceder a sugestões inferiores nos domínios do sexo e das ambições incontidas. Ficou também assentado que minhas atividades novas começariam com muitos sacrifícios, para que o possível carinho de outrem não amolecesse a minha fibra de realização, e para que se não escravizasse minha tarefa a situações caprichosas do mundo, distantes dos desígnios de Jesus, e, sobretudo, para que fosse mantida a impessoalidade do serviço. Mais tarde, então, com o correr dos anos de edificação, me enviariam de Nosso Lar socorros materiais, cada vez maiores, à medida que fosse testemunhando renúncia de mim mesmo, desprendimento das posses efêmeras, desinteresse pela remuneração dos sentidos, de maneira a intensificar, progressivamente, a semeadura de amor confiada às minhas mãos.

7.4 "Tudo combinado, voltei, não só prometendo fidelidade aos meus instrutores, como também hipotecando a certeza do meu devotamento às seis entidades amigas, a quem muito devo até agora."

Otávio, nesse momento, fez uma pausa mais longa, suspirou fundamente e prosseguiu:

— Mas, ai de mim, que olvidei todos os compromissos! Os benfeitores de Nosso Lar localizaram-me ao lado de verdadeira serva de Jesus. Minha mãe era espiritista cristã desde moça, não obstante as tendências materialistas de meu pai, que era, todavia, um homem de bem. Aos 13 anos fiquei órfão de mãe e, aos 15, começaram para mim os primeiros chamados da esfera superior. Por essa ocasião, meu pai contraiu segundas núpcias, e, apesar da bondade e cooperação que a madrasta me oferecia, eu me colocava num plano de falsa superioridade a respeito dela. Em vão, minha genitora endereçou, do invisível, apelos sagrados ao meu coração. Eu vivia revoltado, entre queixas e lamentações descabidas. Meus parentes conduziram-me a um grupo espiritista de excelente orientação evangélica, onde minhas faculdades poderiam ser postas a serviço dos necessitados e sofredores; entretanto, faltavam-me qualidades de trabalhador e companheiro fiel. Minha negação em matéria de confiança nos orientadores espirituais e acentuado pendor para a crítica dos atos alheios compeliam-me a desagradável estacionamento. Os beneméritos amigos do invisível estimulavam-me ao serviço, mas eu duvidava deles com a minha vaidade doentia. E como prosseguissem os apelos sagrados, por mim interpretados como alucinações, procurei um médico que me aconselhou experiências sexuais. Completara, então, 19 anos e entreguei-me desenfreadamente ao abuso de faculdades sublimes. Desejava conciliar, à força, o prazer delituoso e o dever espiritual, alheando-me, cada vez mais, dos ensinos evangélicos que os amigos da esfera superior nos ministravam. Tinha pouco mais de 20 anos quando meu pai foi arrebatado pela morte. Com a triste ocorrência, ficavam na orfandade seis crianças desfavorecidas, porquanto minha madrasta, ao se consorciar com meu genitor, lhe trouxera para a tutela três pequeninos. Em vão implorou-me socorro a pobre viúva. Nunca me dignei aceitar os encargos redentores que me estavam destinados. Após dois anos de segunda viuvez, minha desventurada madrasta foi recolhida a um leprosário. Afastei-me, então, dos pequenos órfãos, tomado de horror. Abandonei-os definitivamente, sem refletir que lançava meus credores generosos, de Nosso Lar, a destino incerto. Em seguida, dando largas à ociosidade, cometi uma ação menos digna e fui obrigado a casar-me pela violência. Mesmo assim, porém, persistiam os chamados do invisível, revelando-me a inesgotável misericórdia do Altíssimo. Contudo, à medida que olvidava meus deveres, toda tentativa de realização espiritual figurava-se-me mais difícil. E continuou a tragédia que inventei para meu próprio tormento. A esposa a que me ligara, tão somente por apetites inconfessáveis, era criatura muito inferior à minha condição espiritual e atraiu uma entidade monstruosa, em ligação com ela, para tomar o papel de meu filho. Releguei à rua seis carinhosas crianças, cuja convivência concorreria decisivamente para minha segurança moral, mas a companheira e

7.5

o filho, ao que me pareceu, incumbiram-se da vingança. Atormentaram-me ambos, até o fim da existência, quando para aqui regressei, mal tendo completado 40 anos, roído pela sífilis, pelo álcool e pelos desgostos, sem nada haver feito para meu futuro eterno... Sem construir coisa alguma no terreno do bem...

7.6   Enxugou os olhos úmidos e concluiu:

— Como vê, realizei todos os meus condenáveis desejos, menos os desejos de Deus. Foi por isso que fali, agravando antigos débitos...

Nesse instante, calou-se como se alguma coisa invisível lhe constringisse a garganta.

Abracei-o com simpatia fraternal, ansioso de proporcionar-lhe estímulo ao coração, mas dona Isaura aproximou-se mais, acariciou-lhe a fronte e falou:

— Não chores, filho! Jesus não nos falta com a bênção do tempo. Tem calma e coragem...

E identificando-lhe o carinho, meditei na Bondade divina, que faz ecoar o cântico sublime do amor de mãe, mesmo nas regiões de além-morte.

8
O desastre de Acelino

Ia dirigir-me a Otávio novamente, quando alguém se aproximou e falou ao ex-médium, com voz forte: 8.1

— Não chore, meu caro. Você não está desamparado. Além disso, pode contar com o devotamento materno. Vivo em piores condições, mas não me faltam esperanças. Sem dúvida, estamos em bancarrota espiritual; no entanto, é razoável aguardarmos, confiantes, novo empréstimo de oportunidades do Tesouro divino. Deus não está pobre.

Voltei-me surpreendido e não reconheci o recém-chegado.

Dona Isaura fez o obséquio das apresentações.

Estávamos diante de Acelino, que partilhara a mesma experiência.

Fitando-o, triste, Otávio sorriu e advertiu:

— Não sou um criminoso para o mundo, mas sou um falido para Deus e para Nosso Lar.

— Sejamos, porém, lógicos — revidou Acelino, parecendo mais encorajado —, você perdeu a partida porque não jogou, e eu a perdi jogando desastradamente. Tive onze anos de tormento nas zonas inferiores. Sua situação não reclamou esse drástico.[2] Mesmo assim, confio na Providência.

8.2 Nesse instante, interveio Vicente, acrescentando:

— Cada um de nós tem a experiência que lhe é própria. Nem todos ganham nas provas terrestres.

E, voltando-se de modo especial para mim, aduziu:

— Quantos de nós, os médicos, perdemos lamentavelmente na luta?

Depois de concordar, trazendo à baila o meu próprio caso, objetei:

— Seria, porém, muitíssimo interessante conhecer a experiência de Acelino. Teria sofrido o mesmo acidente de Otávio? Creio de grande aproveitamento penetrar essas lições. No mundo, não compreendia bem o que fossem tarefas espirituais, mas aqui a nossa visão se modifica. Há que cogitar do nosso futuro eterno.

Acelino sorriu e obtemperou:

— Minha história é muito diferente. A queda que experimentei apresenta características diversas e, a meu ver, muito mais graves.

E, atendendo-nos a expectativa, prosseguiu, narrando:

— Também parti de Nosso Lar, no século findo, após receber valioso patrimônio instrutivo dos nossos assessores. Segui enriquecido de bênçãos. Uma de nossas beneméritas Ministras da Comunicação presidiu, em pessoa, as medidas atinentes à minha nova tarefa. Não faltaram providências para que me felicitassem a saúde do corpo e o equilíbrio da mente. Após formular grandes promessas aos nossos maiores, parti para uma das grandes cidades brasileiras, em serviço de nossa colônia. O casamento estava em meu roteiro de realizações. Ruth, minha devotada companheira, incumbir-se-ia de colaborar comigo para melhor desempenho das tarefas.

---

[2] N.E: Equivalente a "medida drástica" ou "recurso drástico".

"Cumprida a primeira parte do programa, aos 20 anos **8.3** fui chamado à tarefa mediúnica, recebendo enorme amparo dos benfeitores invisíveis. Recordo ainda a sincera satisfação dos companheiros do grupo doutrinário. A vidência, a audição e a psicografia, que o Senhor me concedera por misericórdia, constituíam decisivos fatores de êxito em nossas atividades. A alegria de todos era inexcedível. Entretanto, apesar das lições maravilhosas de amor evangélico, inclinei-me a transformar minhas faculdades em fonte de renda material. Não me dispus a esperar pelos abundantes recursos que o Senhor me enviaria mais tarde, após meus testemunhos no trabalho, e provoquei, eu mesmo, a solução dos problemas lucrativos. Não era meu serviço igual a outros? Não recebiam os sacerdotes católicos-romanos a remuneração de trabalhos espirituais e religiosos? Se todos pagávamos por serviços ao corpo, que razões haveria para fugir ao pagamento por serviços à alma? Amigos, inscientes do caráter sagrado da fé, aprovavam-me as conclusões egoísticas. Admitíamos que, no fundo, o trabalho essencial era dos desencarnados, mas também havia colaboração minha, pessoal, como intermediário, pelo que devia ser justa a retribuição.

"Debalde, movimentaram-se os amigos espirituais aconselhando-me o melhor caminho. Em vão, companheiros encarnados chamavam-me a esclarecimento oportuno. Agarrei-me ao interesse inferior e fixei meu ponto de vista. Ficaria definitivamente por conta dos consulentes. Arbitrei o preço das consultas, com bonificações especiais aos pobres e desvalidos da sorte, e meu consultório encheu-se de gente. Interesse enorme foi despertado entre os que desejavam melhoras físicas e solução de negócios materiais. Grande número de famílias abastadas tomou-me por consultor habitual para todos os problemas da vida. As lições de espiritualidade superior, a confraternização amiga, o serviço redentor do Evangelho e as preleções dos emissários divinos ficaram a distância. Não mais a escola da virtude, do amor fraternal, da edificação superior, e sim a concorrência comercial, as ligações humanas legais ou criminosas, os caprichos apaixonados, os casos de polícia e todo um cortejo de misérias da Humanidade, em suas experiências menos dignas. Transformara-se completamente a paisagem espiritual que me rodeava. À força de me cercar de pessoas criminosas, por questões de ganho sistemático, as baixas correntes mentais dos inquietos clientes encarceraram-me em sombria cadeia psíquica. Cheguei ao crime de zombar do Evangelho de Nosso Senhor Jesus, esquecido de que os negócios delituosos dos homens de consciência viciada contam igualmente com entidades perniciosas, que se interessam por eles nos planos invisíveis. E transformei a mediunidade em fonte de palpites materiais e baixos avisos."

8.4   Nesse momento, os olhos do narrador cobriram-se de súbita vermelhidão, estampando-se-lhe fundo horror nas pupilas, como se estivesse revivendo atrozes dilacerações.

— Mas a morte chegou, meus amigos, e arrancou-me a fantasia — prosseguiu mais grave. — Desde o instante da grande transição, a ronda escura dos consulentes criminosos, que me haviam precedido no túmulo, rodeou-me a reclamar palpites e orientações de natureza inferior. Queriam notícias de cúmplices encarnados, de resultados comerciais, de soluções atinentes a ligações clandestinas.

"Gritei, chorei, implorei, mas estava algemado a eles por sinistros elos mentais, em virtude da imprevidência na defesa do meu próprio patrimônio espiritual. Durante onze anos consecutivos, expiei a falta, entre eles, entre o remorso e a amargura."

Acelino calou-se, parecendo mais comovido, em vista das lágrimas abundantes. Fundamente sensibilizado, Vicente considerou:

— Que é isso? Não se atormente assim. Você não cometeu assassínios nem alimentou a intenção deliberada de espalhar o mal. A meu ver, você enganou-se também, como tantos de nós.

Acelino, porém, enxugou o pranto e respondeu:

— Não fui homicida nem ladrão vulgar, não mantive o propósito íntimo de ferir ninguém, nem desrespeitei alheios lares, mas, indo aos círculos carnais para servir às criaturas de Deus, nossos irmãos, auxiliando-os no crescimento espiritual com Jesus, apenas fiz viciados da crença religiosa e delinquentes ocultos, mutilados da fé e aleijados do pensamento. Não tenho desculpas, porque estava esclarecido; não tenho perdão, porque não me faltou assistência divina.

E, depois de longa pausa, concluiu gravemente:

— Podem avaliar a extensão da minha culpa?

9
Ouvindo impressões

Deixando Acelino em conversação mais íntima com Otávio, 9.1
fui levado por Vicente a outro ângulo da sala.

Muitos grupos se mantinham em palestra interessante e educativa, observando eu que quase todos comentavam as derrotas sofridas na Terra.

— Fiz quanto pude — exclamava uma velhinha simpática para duas companheiras que a escutavam atentamente —; no entanto, os laços de família são muito fortes. Algo se fazia ouvir sempre, com voz muito alta, em meu espírito, compelindo-me ao desempenho da tarefa; mas... e o marido? Amâncio nunca se conformou. Se os enfermos me procuravam no receituário comum, agravava-se-lhe a neurastenia; se os companheiros de Doutrina me convidavam aos estudos evangélicos, revoltava-se, ciumento. Que pensam vocês? Chegava a mobilizar minhas filhas contra mim. Como seria possível, em tais circunstâncias, atender a obrigações mediúnicas?

— Todavia — ponderou uma das senhoras que parecia mais segura de si —, sempre temos recursos e pretextos para fugir às culpas. Encaremos nossos problemas com realismo. Há de convir que, com o socorro da boa vontade, sempre lhe ficariam alguns minutos na semana e algumas pequenas oportunidades para fazer o bem. Talvez pudesse conquistar o entendimento do esposo e a colaboração afetuosa das filhas, se trabalhasse em silêncio, mostrando sincera disposição para o sacrifício. Nossos atos, Mariana, são muito mais contagiosos que nossas palavras.

9.2 — Sim — respondeu a interlocutora, emitindo voz diferente —, concordo com a observação. Em verdade, nunca pude sofrer a incompreensão dos meus sem reclamar.

— Para trabalharmos com eficiência — tornou a companheira, sensata —, é preciso saber calar antes de tudo. Teríamos atendido perfeitamente aos nossos deveres, se tivéssemos usado todas as receitas de obediência e otimismo que fornecemos aos outros. Aconselhar é sempre útil, mas aconselhar excessivamente pode traduzir esquecimentos de nossas obrigações. Assim digo, porque meu caso, a bem dizer, é muito semelhante ao seu. Fomos ao círculo carnal para construir com Jesus, mas caímos na tolice de acreditar que andávamos pela Terra para discutir nossos caprichos. Não executei minha tarefa mediúnica em virtude da irritação que me dominou, dada a indiferença dos meus familiares pelos serviços espirituais. Nossos instrutores, aqui, muito me recomendaram, antes, que para bem ensinar é necessário exemplificar melhor. Entretanto, por minha desventura, tudo esqueci no trabalho temporário da Terra. Se meu marido fazia ponderações, eu criava refutações. Não suportava qualquer parecer contrário ao meu ponto de vista, em matéria de crença, incapaz de perceber a vaidade e a tolice dos meus gestos. Das irreflexões nasceu minha perda última, na qual agravei, de muito, as responsabilidades. Quase mensalmente, Joaquim e eu nos empenhávamos em discussões e não trocávamos apenas os insultos contundentes, mas também os fluidos venenosos, segregados por nossa mente rebelde e enfermiça. Entre os conflitos e suas consequências, passei o tempo inutilizada para qualquer trabalho de elevação espiritual.

Nesse instante, chamou-me Vicente para apresentar um amigo. **9.3**

Ao nosso lado, outro grupo de senhoras conversava animadamente:

— Afinal, Ernestina — indagava uma delas à mais jovem —, qual foi a causa do seu desastre?

— Apenas o medo, minha amiga — explicou-se a interpelada —; tive medo de tudo e de todos. Foi o meu grande mal.

— Mas como tudo isto impressiona! Você foi muitíssimo preparada. Recordo-me ainda das nossas lições em conjunto. As instrutoras do Esclarecimento confiavam extraordinariamente no seu concurso. Seu aproveitamento era um padrão para nós outras.

— Sim, minha querida Benita, suas reminiscências fazem-me sentir, com mais clareza, a extensão da minha bancarrota pessoal. Entretanto, não devo fugir à realidade. Fui a culpada de tudo. Preparei-me o bastante para resgatar antigos débitos e efetuar edificações novas; contudo, não vigiei como se impunha. O chamamento ao serviço ressoou no tempo próprio, orientando-me o raciocínio a melhores esclarecimentos; nossos instrutores me proporcionavam os mais santos incentivos, mas desconfiei dos homens, dos desencarnados e até de mim mesma. Nos estudiosos do plano físico, enxergava pessoas de má-fé; nos irmãos invisíveis, presumia encontrar apenas galhofeiros fantasiados de orientadores, e, em mim mesma, receava as tendências nocivas. Muitos amigos tinham-me em conta de virtuosa, pelo rigorismo das minhas exigências; todavia, no fundo, eu não passava de enferma voluntária, carregada de aflições inúteis.

— Foi uma grande infantilidade da sua parte — retrucou a outra —. Você olvidou que, na esfera carnal, o maior interesse da alma é a realização de algo útil para o bem de todos, com vistas ao Infinito e à Eternidade. Nesse mister, é indispensável contar com o assédio de todos os elementos contrários. Ironias da ignorância, ataques da insensatez, sugestões inferiores da nossa própria animalidade surgirão, com certeza, no caminho de todo trabalhador fiel. São circunstâncias lógicas e fatais do serviço, porque não vamos ao mundo físico para descanso injustificável, mas para lutar pela nossa melhoria, a despeito de todo impedimento fortuito.

9.4 — Compreendo, agora — disse a outra —; todavia, o receio das mistificações prejudicou minha bela oportunidade.

— É, minha amiga — tornou a interlocutora —, é tarde para lamentar. Tanto tememos as mistificações que acabamos por mistificar os serviços do Cristo.

Eu ouvia a palestra com interesse crescente, mas o companheiro levou-me adiante para novas apresentações.

Atendia a esses agradáveis deveres da sociedade de Nosso Lar, mas, para não perder ensejo de instruir-me, continuava atento às conversações em torno. Alguns cavalheiros mantinham discreta permuta de pareceres.

— Reconheço que fali — dizia um deles em tom grave — e muito já expiei nas regiões inferiores, mas aguardo novos recursos da Providência.

— Faltou-lhe, porém, bastante orientação para o caminho? — perguntava um companheiro.

— Explico-me — esclareceu o primeiro —, faltou-me o amparo da esposa. Enquanto a tive a meu lado, verificou-se profundo equilíbrio em minhas forças psíquicas. A companhia dela, sem que eu pudesse explicar, compensava-me todo gasto de energia mediúnica. Minha noção de balanço estava nas mãos de minha querida Adélia. Esqueci-me, porém, de que o bom servo deve estar preparado para o serviço do Senhor, em qualquer circunstância. Não aprendi a ciência da conformação nem me resignei a percorrer sozinho as estradas humanas. Quando me senti sem a dedicada companheira, arrebatada pela morte, amedrontei-me por sentir-me em desequilíbrio e, erradamente, procurei substituí-la, e fui acidentado. Extremamente ligada a entidades malfazejas, minha segunda mulher, com os seus desvarios, arrastou-me a perversões sexuais de que nunca me supusera capaz. Voltei, insensivelmente, ao convívio de criaturas perversas e, tendo começado bem, acabei mal. Meus desastres foram enormes; entretanto, embora reconheça minha deficiência, entendo, ainda hoje, que o triunfo, mesmo no futuro, ser-me-á muito difícil sem a companheira bem-amada.

Tornara-se a palestra sumamente interessante. Desejava acompanhar-lhe o curso, mas Vicente chamou-me a atenção para outro assunto e era necessário acompanhá-lo. **9.5**

10
A experiência de Joel

Afastando-nos para um canto do salão, acompanhei Vicente, **10.1** que se dirigiu a um velhote de fisionomia simpática.

— Então, meu caro Joel, como vai? — perguntou atencioso.

O interpelado teve uma expressão melancólica e informou:

— Graças à Bondade divina, sinto-me bastante melhorado. Tenho ido diariamente às aplicações magnéticas dos Gabinetes de Socorro, no Auxílio, e estou mais forte.

— Cederam as vertigens? — indagou o companheiro, com interesse.

— Agora são mais espaçadas e, quando surgem, não me afligem o coração com tanta intensidade.

Nesse instante, Vicente descansou os olhos muito lúcidos nos meus e disse, sorrindo:

— Joel também andou nos círculos carnais em tarefa mediúnica e pode contar experiência muito interessante.

O novo amigo, que me parecia um enfermo em princípios de convalescença, esboçou melancólico sorriso e falou:

10.2 — Fiz minha tentativa na Terra, mas fracassei. A luta não era pequena e fui fraco demais.

— O que mais me impressiona no caso dele, porém — interpôs Vicente em tom fraterno —, é a moléstia que o acompanhou até aqui e persiste ainda agora. Joel atravessou as regiões inferiores com dificuldades extremas, após demorar-se por lá muito tempo, voltando ao Ministério do Auxílio perseguido de alucinações estranhas, relativamente ao pretérito.

— Ao passado? — perguntei surpreendido.

— Sim — esclareceu Joel, humilde —, minha tarefa mediúnica exigia sensibilidade mais apurada e, quando me comprometi à execução do serviço, fui ao Ministério do Esclarecimento, onde me aplicaram tratamento especial, que me aguçou as percepções. Necessitava condições sutis para o desempenho dos futuros deveres. Assistentes amigos desdobraram-se em obséquios, por me favorecerem, e parti para a Terra com todos os requisitos indispensáveis ao êxito de minhas obrigações. Infelizmente, porém...

— Mas por que — indaguei — perdeu as realizações? Tão só em virtude da sensibilidade adquirida?

Joel sorriu e obtemperou:

— Não perdi pela sensibilidade, mas pelo seu mau uso.

— Que diz? — tornei admirado.

— O meu amigo compreenderá sem dificuldades. Imagine que, com um cabedal dessa natureza, em vez de auxiliar os outros, perdi-me a mim mesmo. É que, segundo concluo agora, Deus concede a sensibilidade apurada como espécie de lente poderosa, que o proprietário deve usar para definir roteiros, fixar perigos e vantagens do caminho, localizar obstáculos comuns, ajudando ao próximo e a si mesmo. Procedi, porém, ao inverso. Não utilizei a lente maravilhosa no mister justo. Deixando-me empolgar pela curiosidade doentia, apliquei-a tão somente para dilatar minhas sensações. No quadro dos meus trabalhos mediúnicos, estava a recordação de existências pregressas como expressão indispensável ao serviço de esclarecimento coletivo e benefício aos semelhantes, que me fora concedido realizar, mas existe uma ciência de recordar, que não respeitei como devia.

Interrompendo um instante a narrativa, aguçava-me o desejo de conhecer-lhe a experiência pessoal até ao fim. Em seguida, continuou no mesmo diapasão: **10.3**

— Ao primeiro chamado da esfera superior, acorri apressado. Sentia, intuitivamente, a vívida lembrança de minhas promessas em Nosso Lar. Tinha o coração repleto de propósitos sagrados. Trabalharia. Espalharia muito longe a vibração das verdades eternas. Contudo, aos primeiros contatos com o serviço, a excitação psíquica fez rodar o mecanismo de minhas recordações adormecidas, como o disco sob a agulha da vitrola, e lembrei toda a minha penúltima existência, quando envergara a batina, sob o nome de Monsenhor Alejandre Pizarro, nos últimos períodos da Inquisição Espanhola. Foi, então, que abusei da lente sagrada a que me referi. A volúpia das grandes sensações, que pode ser tão prejudicial como o uso do álcool que embriaga os sentidos, fez-me olvidar os deveres mais santos. Bafejaram-me claridades espirituais de elevada expressão. Desenvolveu-se-me a clarividência, mas não estava satisfeito senão com rever meus companheiros visíveis e invisíveis, no setor das velhas lutas religiosas. Impunha a mim mesmo a obrigação de localizar cada um deles no tempo, fazendo questão de reconstituir-lhes as fichas biográficas, sem cuidar do verdadeiro aproveitamento no campo do trabalho construtivo. A audição psíquica tornou-se-me muito clara; entretanto, não queria ouvir os benfeitores espirituais sobre tarefas proveitosas, e sim interpelá-los, ousadamente, no capítulo da minha satisfação egoística. Despendi um tempo enorme, dentro do qual fugia aos companheiros que me vinham pedir atividades a bem do próximo, engolfado em pesquisas referentes à Espanha do meu tempo.

Exigia notícias de bispos, de autoridades políticas da época, de padres amigos que haviam errado tanto quanto eu mesmo.

10.4 "Não faltaram generosas advertências. Frequentemente, os colegas do nosso grupo espiritista chamavam-me a atenção para os problemas sérios de nossa casa. Eram sofredores que nos batiam à porta, situações que reclamavam testemunho cristão. Tínhamos um abrigo de órfãos em projeto, um ambulatório que começava a nascer e, sobretudo, serviços semanais de instrução evangélica, nas noites de terças e sextas-feiras. Mas qual! eu não queria saber senão das minhas descobertas pessoais. Esqueci que o Senhor me permitia aquelas reminiscências, não por satisfazer-me a vaidade, mas para que entendesse a extensão dos meus débitos para com os necessitados do mundo e me entregasse à obra de esclarecimento e conforto aos feridos da sorte. Contrariamente à expectativa dos abnegados amigos que me auxiliaram na obtenção da oportunidade sublime, não me movi no concurso fraterno e desinteressei-me da doutrina consoladora, que hoje revive o Evangelho de Jesus entre os homens. Somente procurei, a rigor, os que se encontravam afins comigo, desde o pretérito. Nesse propósito, descobri, com evidentes sinais de identidade, personalidades outrora eminentes, em relação comigo. Reconheci o senhor Higino de Salcedo, grande proprietário de terras, que me havia sido magnânimo protetor perante as autoridades religiosas da Espanha, reencarnado como proletário inteligente e honesto, mas em grande experiência de sacrifício individual. Revi o velho Gaspar de Lorenzo, figura solerte de inquisidor cruel, que me quisera muito bem, reencarnado como paralítico e cego de nascença. E desse modo, meu amigo, passei a existência, de surpresa em surpresa, de sensação em sensação. Eu, que renascera recordando para edificar alguma coisa de útil, transformei a lembrança em viciação da personalidade. Perdi a oportunidade bendita de redenção, e o pior é o estado de alucinação em que vivo. Com o meu erro, a mente desequilibrou-se e as perturbações psíquicas constituem doloroso martírio. Estou sendo submetido a tratamento magnético de longo tempo."

Nesse momento, porém, o interlocutor empalideceu de súbito. Os olhos, desmesuradamente abertos, vagavam como se fixassem quadros impressionantes, muito longe da nossa perspectiva. Depois cambaleou, mas Vicente o amparou de pronto, e, passando-lhe a destra na fronte, murmurava em voz firme: **10.5**

— Joel! Joel! Não se entregue às impressões do passado! Volte ao presente de Deus!...

Profundamente admirado, notei que o convalescente regressava à expressão normal, esfregando os olhos.

11
Belarmino, o doutrinador

As lições eram eminentemente proveitosas. Traziam-me 11.1 novos conhecimentos e, sobretudo, com elas, admirava, cada vez mais, a bondade de Deus, que nos permitia a todos a restauração do aprendizado para serviços do futuro. Muitos de nós havíamos atravessado zonas purgatoriais de sombra e tormento íntimo. Uns mais, outros menos. Bastara, contudo, o reconhecimento de nossa pequenez, a compreensão do nosso imenso débito e ali estávamos, todos, reunidos em Nosso Lar, reanimando energias desfalecidas e reconstituindo programas de trabalho. Eu via em todos os companheiros presentes o reflorescimento da esperança. Ninguém se sentia ao desamparo. Observando que numerosos médiuns prosseguiam em valiosa permuta de ideias, referentemente ao quadro de suas realizações, e ouvindo tantas observações sobre doutrinadores, perguntei a Vicente, em tom discreto:

— Não seria possível, para minha edificação, consultar a experiência de algum doutrinador em trânsito por aqui? Recolhendo notícias de tantos médiuns, com enorme proveito, creio não deva perder esta oportunidade.

11.2   Vicente refletiu um minuto e respondeu:

— Procuremos Belarmino Ferreira. É meu amigo há alguns meses.

Segui o companheiro, por grupos diversos. Belarmino lá estava a um canto, em palestra com um amigo. Fisionomia grave, gestos lentos, deixava transparecer grande tristeza no olhar humilde.

Vicente apresentou-me afetuoso, dando início à conversação edificante. Após a troca de alguns conceitos, Belarmino falou comovido:

— Com que, então, meu amigo deseja conhecer as amarguras de um doutrinador falido?

— Não digo isso — obtemperei a sorrir —, desejaria conhecer sua experiência, ganhar também de sua palavra educativa.

Ferreira esboçou sorriso forçado, que expressava todo o absinto que ainda lhe requeimava a alma, e falou:

— A missão do doutrinador é muitíssimo grave para qualquer homem. Não é sem razão que se atribui a Nosso Senhor Jesus o título de Mestre. Somente aqui, vim ponderar bastante esta profunda verdade. Meditei muitíssimo, refleti intensamente e concluí que, para atingirmos uma ressurreição gloriosa, não há, por enquanto, outro caminho além daquele palmilhado pelo Doutrinador divino. É digna de menção a atitude dele, abstendo-se de qualquer escravização aos bens terrestres. Não vemos passar o Senhor em todo o Evangelho senão fazendo o bem, ensinando o amor, acendendo a luz, disseminando a verdade. Nunca pensou nisso? Depois de longas meditações, cheguei ao conhecimento de que na vida humana, junto aos que administram e aos que obedecem, há os que ensinam. Chego, pois, a pensar que nas esferas da crosta há mordomos, cooperadores e servos. Muito especialmente, os que ensinam devem ser dos últimos. Entende o meu irmão?

Ah! sim, havia compreendido perfeitamente. A conceituação de Belarmino era profunda, irrefutável. Aliás, nunca ouvira tão belas apreciações relativamente à missão educativa. 11.3

Após ligeiro intervalo, continuou sempre grave:

— Há de estranhar, certamente, tenha eu fracassado, sabendo tanto. Minha tragédia angustiosa, porém, é a de todos os que conhecem o bem, esquecendo-lhe a prática.

Calou-se de novo, pensou, pensou e prosseguiu:

— Faz muitos anos, saí de Nosso Lar com tarefa de doutrinação no campo do Espiritismo evangélico. Minhas promessas, aqui, foram enormes. Minha abnegada Elisa dispôs-se a acompanhar-me no serviço laborioso. Ser-me-ia companheira desvelada, abençoada amiga de sempre. Minha tarefa constaria de trabalho assíduo no Evangelho do Senhor, de modo a doutrinar, primeiramente, com o exemplo, e, em seguida, com a palavra.

"Duas colônias importantes, que nos convizinham, enviaram muitos servos para a mediunidade e pediram ao nosso Governador cooperasse com a remessa de missionários competentes para o ensino e a orientação.

"Não obstante meu passado culposo, candidatei-me ao serviço com endosso do ministro Gedeão, que não vacilou em auxiliar-me. Deveria desempenhar atividades concernentes ao meu resgate pessoal e atender à tarefa honrosa, veiculando luzes a irmãos nossos nos planos visível e invisível. Impunha-se-me, sobretudo, o dever de amparar as organizações mediúnicas, estimulando companheiros de luta, postos na Terra a serviço da ideia imortalista. Entretanto, meu amigo, não consegui escapar à rede envolvente das tentações. Desde criança, meus pais socorreram-me com as noções consoladoras e edificantes do Espiritismo Cristão. Circunstâncias várias, que me pareceram casuais, situaram-me o esforço na presidência de um grande grupo espiritista. Os serviços eram promissores, as atividades nobres e construtivas, mas enchi-me de exigências, levado pelo excessivo apego à posição de comando do barco doutrinário. Oito médiuns, extremamente dedicados ao esforço evangélico, ofereciam-me colaboração ativa; contudo, procurei colocar acima de tudo o preceito científico das provas insofismáveis. Cerrei os olhos à lei do merecimento individual, olvidei os imperativos do esforço próprio e, envaidecido com os meus conhecimentos do assunto, comecei por atrair amigos de mentalidade inferior ao nosso círculo, tão somente em virtude da falsa posição que usufruíam na cultura filosófica e na pesquisa científica. Insensivelmente, vicejaram-me na personalidade estranhos propósitos egoísticos. Meus novos amigos queriam demonstrações de toda a sorte e, ansioso por colher colaboradores na esfera da autoridade científica, eu exigia dos nobres médiuns longas e porfiadas perquirições nos planos invisíveis. O resultado era sempre negativo, porque cada homem receberá, agora e no futuro, de acordo com as próprias obras. Isso me irritava. Instalou-se a dúvida em meu coração, devagarinho. Perdi a serenidade doutro tempo. Comecei a ver nos médiuns, que se retraíam aos meus caprichos, companheiros de má vontade e má-fé. Prosseguiam nossas reuniões, mas da dúvida passei à descrença destruidora.

11.4   "Não estávamos num grupo de intercâmbio entre o visível e o invisível? Não eram os médiuns simples aparelhos dos defuntos comunicantes? Por que não viriam aqueles que pudessem atender aos nossos interesses materiais, imediatos? Não seria melhor estabelecer um processo mecânico e rápido para as comunicações? Por que a negação do invisível aos meus propósitos de demonstrar positivamente o valor da nova doutrina?

"Debalde, Elisa me chamava para a esfera religiosa e edificante, onde poderia aliviar o espírito atormentado.

"O Evangelho, todavia, é livro divino e, enquanto permanecemos na cegueira da vaidade e da ignorância, não nos expõe seus tesouros sagrados. Por isso mesmo, tachava-o de velharia. E, de desastre a desastre, antes que me firmasse na missão de ensinar, os amigos brilhantes do campo de cogitações inferiores da Terra arrastaram-me ao negativismo completo. Do nosso agrupamento cristão, onde poderia edificar construções eternas, transferi-me para o movimento, não da política que eleva, mas da politicalha inferior, que impede o progresso comum e estabelece a confusão nos Espíritos encarnados. Por aí, estacionei muito tempo, desviado dos meus objetivos fundamentais, porque a escravidão ao dinheiro me transformara os sentimentos.

"E assim foi, até que acabei meus dias com uma bela situação financeira no mundo e... um corpo crivado de enfermidades; com um palácio confortável de pedra e um deserto no coração. A revivescência da minha inferioridade antiga religou-me a companheiros menos dignos no plano dos encarnados e desencarnados, e o resto o meu amigo poderá avaliar: tormentos, remorsos, expiações..." **11.5**

Concluindo, asseverou:

— Mas como não ser assim? Como aprender sem a escola, sem retomar o bem e corrigir o mal?

— Sim, Belarmino — disse, abraçando-o —, você tem razão. Tenho a certeza de que não vim tão só ao Centro de Mensageiros, mas também ao centro de grandes lições.

12
A palavra de Monteiro

— Os ensinamentos aqui são variados.   12.1

Fora o amigo de Belarmino quem tomara a palavra. Mostrando agradável maneira de dizer, continuou:

— Há três anos sucessivos, venho diariamente ao Centro de Mensageiros e as lições são sempre novas. Tenho a impressão de que as bênçãos do Espiritismo chegaram prematuramente ao caminho dos homens. Se minha confiança no Pai fosse menos segura, admitiria essa conclusão.

Belarmino, que observava atento os gestos do amigo, interveio, explicando:

— O nosso Monteiro tem grande experiência do assunto.

— Sim — confirmou ele —, experiência não me falta. Também andei às tontas nas semeaduras terrestres. Como sabem, é muito difícil escapar à influência do meio, quando em luta na carne. São tantas e tamanhas as exigências dos sentidos, em relação com o mundo externo, que não escapei, igualmente, a doloroso desastre.

12.2   — Mas como? — indaguei interessado em consolidar conhecimentos.

— É que a multiplicidade de fenômenos e as singularidades mediúnicas reservam surpresas de vulto a qualquer doutrinador que possua mais raciocínios na cabeça que sentimentos no coração. Em todos os tempos, o vício intelectual pode desviar qualquer trabalhador mais entusiasta que sincero, e foi o que me aconteceu.

Depois de ligeira pausa, prosseguiu:

— Não preciso esclarecer que também parti de Nosso Lar, noutro tempo, em missão de Entendimento Espiritual. Não ia para estimular fenômenos, mas para colaborar na iluminação de companheiros encarnados e desencarnados. O serviço era imenso. Nosso amigo Ferreira pode dar testemunho, porquanto partimos quase juntos. Recebi todo o auxílio para iniciar minha grande tarefa e intraduzível alegria me dominava o espírito no desdobramento dos primeiros serviços. Minha mãe, que se convertera em minha devotada orientadora, não cabia em si de contente. Enorme entusiasmo instalara-se-me no espírito. Sob meu controle direto, estavam alguns médiuns de efeitos físicos, além de outros consagrados à psicografia e à incorporação; e tamanho era o fascínio que o comércio com o invisível exercia sobre mim, que me distraí completamente quanto à essência moral da Doutrina. Tínhamos quatro reuniões semanais, às quais comparecia com assiduidade absoluta. Confesso que experimentava certa volúpia na doutrinação aos desencarnados de condição inferior. Para todos eles, tinha longas exortações decoradas, na ponta da língua. Aos sofredores, fazia ver que padeciam por culpa própria. Aos embusteiros, recomendava, enfaticamente, a abstenção da mentira criminosa. Os casos de obsessão mereciam-me ardor apaixonado. Estimava enfrentar obsessores cruéis para reduzi-los a zero, no campo da argumentação pesada. Outra característica que me assinalava a ação firme era a dominação que pretendia exercer sobre alguns pobres sacerdotes católicos-romanos desencarnados em situação de ignorância das verdades divinas. Chegava ao cúmulo de estudar, pacientemente, longos trechos das Escrituras, não para meditá-los com o entendimento, mas por mastigá-los a meu bel-prazer, bolçando-os depois aos Espíritos perturbados, em plena sessão, com a ideia criminosa de falsa superioridade espiritual. O apego às manifestações exteriores desorientou-me por completo. Acendia luzes para os outros, preferindo, porém, os caminhos escuros e esquecendo a mim mesmo. Somente aqui, de volta, pude verificar a extensão da minha cegueira.

"Por vezes, após longa doutrinação sobre a paciência, impondo pesadíssimas obrigações aos desencarnados, abria as janelas do grupo de nossas atividades doutrinárias para descompor as crianças que brincavam inocentemente na rua. Concitava os perturbados invisíveis a conservarem serenidade para, daí a instantes, repreender senhoras humildes, presentes à reunião, quando não podiam conter o pranto de algum pequenino enfermo. Isso, quanto a coisas mínimas, porque, no meu estabelecimento comercial, minhas atitudes eram inflexíveis. Raro o mês que não mandasse promissórias a protesto público. Lembro-me de alguns varejistas menos felizes, que me rogavam prazo, desculpas, proteção. Nada me demovia, porém. Os advogados conheciam minhas deliberações implacáveis. Passava os dias no escritório estudando a melhor maneira de perseguir os clientes em atraso, entre preocupações e observações nem sempre muito retas, e, à noite, ia ensinar o amor aos semelhantes, a paciência e a doçura, exaltando o sofrimento e a luta como estradas benditas de preparação para Deus. 12.3

"Andava cego. Não conseguia perceber que a existência terrestre, por si só, é uma sessão permanente. Talhava o Espiritismo a meu modo. Toda a proteção e garantia para mim, e valiosos conselhos ao próximo. Além disso, não conseguia retirar a mente dos espetáculos exteriores. Fora das sessões práticas, minha atividade doutrinária consistia em vastíssimos comentários dos fenômenos observados, duelos palavrosos, narrações de acontecimentos insólitos, crítica rigorosa dos médiuns."

12.4   Monteiro deteve-se um pouco, sorriu e continuou:
— De desvio em desvio, a angina encontrou-me absolutamente distraído da realidade essencial. Passei para cá, qual demente necessitado de hospício. Tarde reconhecia que abusara das sublimes faculdades do verbo. Como ensinar sem exemplo, dirigir sem amor? Entidades perigosas e revoltadas aguardaram-me à saída do plano físico. Sentia, porém, comigo, singular fenômeno. Meu raciocínio pedia socorro divino, mas meu sentimento agarrava-se a objetivos inferiores. Minha cabeça dirigia-se ao Céu, em súplica, mas o coração colava-se à Terra. Nesse estado triste, vi-me rodeado de seres malévolos que me repetiam longas frases de nossas sessões. Com atitude irônica, recomendavam-me serenidade, paciência e perdão às alheias faltas; perguntavam-me, igualmente, por que me não desgarrava do mundo, estando já desencarnado. Vociferei, roguei, gritei, mas tive de suportar esse tormento por muito tempo.

"Quando os sentimentos de apego à esfera física se atenuaram, a comiseração de alguns bons amigos me trouxe até aqui. E imagine o irmão que meu Espírito infeliz ainda estava revoltado. Sentia-me descontente.

"Não havia fomentado as sessões de intercâmbio entre os dois planos? Não me consagrara ao esclarecimento dos desencarnados?

"Percebendo-me a irritação ridícula, amigos generosos submeteram-me a tratamento. Não fiquei satisfeito. Pedi à ministra Veneranda uma audiência, visto ter sido ela a intercessora da minha oportunidade. Queria explicações que pudessem atender ao meu capricho individual. A Ministra é sempre muito ocupada, mas sempre atenciosa. Não marcou a audiência, dada a insensatez da solicitação; no entanto, por demasia de gentileza, visitou-me em ocasião que reservara a descanso. Crivei-lhe os ouvidos de lamentações, chorei amargamente e, durante duas horas, ouviu-me a benfeitora por um prodígio de paciência evangélica. Em silêncio expressivo, deixou que me cansasse na exposição longa e inútil. Quando me calei, à espera de palavras que alimentassem o monstro da minha incompreensão, Veneranda sorriu e respondeu: 'Monteiro, meu amigo, a causa da sua derrota não é complexa nem difícil de explicar. Entregou-se, você, excessivamente ao Espiritismo prático, junto dos homens, nossos irmãos, mas nunca se interessou pela verdadeira prática do Espiritismo junto de Jesus, nosso Mestre.'"

Nesse instante, Monteiro fez longa pausa, pensou uns momentos e falou comovido: **12.5**

— Desde então, minha atitude mudou muitíssimo, entendeu?

Aturdido com a lição profunda, respondi, mastigando palavras, como quem pensa mais para falar menos:

— Sim, sim, estou procurando compreender.

13
Ponderações de Vicente

Não estava farto de lições, mas, para o momento, havia **13.1** aprendido bastante. Impressionado com o que me fora dado observar, não insisti com Vicente para prolongar nossa demora no Centro de Mensageiros.
    Deixando grandes grupos em conversação ativa, reconstituindo projetos e refazendo esperanças, segui o companheiro que me convidava a visitar os imensos jardins. Roseirais enormes balsamizavam a atmosfera leve e límpida.
    — Sinto-me fortemente impressionado — murmurei. — Quem diria pudessem caber tantas responsabilidades a essas criaturas? Não conheci pessoalmente nenhum médium ou doutrinador do Espiritismo, justificando agora minha surpresa.
    Vicente sorriu e ponderou:
    — Você, meu caro, procede das Câmaras de Retificação, onde os trabalhos são muito reservados e circunscritos. Talvez sua impressão provenha dessa circunstância. Verá, porém, com o tempo, que existem aqui locais de conversações dessa natureza,

referentes a todas as oportunidades perdidas. Já visitou alguma dependência do Ministério do Esclarecimento?

— Não.

— Localizam-se, ali, os enormes pavilhões das escolas maternais. São milhares de irmãs que comentam, por lá, as desventuras da maternidade fracassada, buscando reconstituir energias e caminhos. Ainda ali, temos os Centros de Preparação à Paternidade. Grandes massas de irmãos examinam o quadro de tarefas perdidas e recordam, com lágrimas, o passado de indiferença ao dever. Nesse mesmo Ministério, temos a Especialização Médica. Nobres profissionais da Medicina, que perderam santas oportunidades de elevação, lá discutem seus problemas.

Nesse instante o interrompi, observando:

—Entretanto, somos médicos e não nos achamos lá.

— Sim — explicou Vicente, bondoso —, infelizmente para nós ambos, caímos em toda a linha. Não só na qualidade de médicos, mas muito mais como homens, pois que, se disse a você o que sofri, ainda não contei o que fiz.

— É verdade — concordei desapontado, recordando minha condição de suicida inconsciente.

— Ainda no Esclarecimento — prosseguiu o companheiro —, temos o Instituto de Administradores, onde os Espíritos cultos procuram restaurar as forças próprias e corrigir os erros cometidos na mordomia terrestre. Nos Campos de Trabalho, do Ministério da Regeneração, existem milhares de trabalhadores que se renovam para a recapitulação das grandes tarefas da obediência.

"Somos numerosos" — continuou, sorridente — "os falidos nas missões terrestres e note-se que todos os que hajam chegado a zonas como Nosso Lar devem ser levados à conta dos extremamente felizes. Temos aqui dois Ministérios Celestiais, como o da Elevação e o da União Divina, cuja influenciação santificante eleva o padrão dos nossos pensamentos sem que o percebamos de maneira direta. O estágio aqui, André, representa uma bênção do Senhor, e, por muito que trabalhássemos, nunca retribuiríamos a esta colônia na medida de nosso débito para com ela. Nossa situação é a de abrigados em verdadeiro paraíso, pelo ensejo de serviço edificante que se nos oferece. Quanto a outros companheiros nossos..."

Fez longo hiato e continuou:

13.3

— Quanto a muitos, estão fazendo angustiosas estações de aprendizado nas regiões mais baixas. São infelizes prisioneiros uns dos outros, pela cadeia de remorsos e malignas recordações. No que concerne à Medicina, os colegas em bancarrota espiritual são inúmeros. A saúde humana é patrimônio divino, e o médico é sacerdote dela. Os que recebem o título profissional, em nosso quadro de realizações, sem dele se utilizarem a bem dos semelhantes pagam caro a indiferença. Os que dele abusam são, por sua vez, situados no campo do crime. Jesus não foi somente o Mestre, foi Médico também. Deixou no mundo o padrão da cura para o Reino de Deus. Ele proporcionava socorro ao corpo e ministrava fé à alma. Nós, porém, meu caro André, em muitos casos terrestres, nem sempre aliviamos o corpo e quase sempre matamos a fé.

As palavras sensatas do amigo caíam-me na alma como raios de luz. Tudo era a verdade, simples e bela. Ainda não pensara, de fato, em toda a grandeza do serviço divino de Jesus Médico. Ele expulsara febres malignas, curara leprosos e cegos de nascença, levantara paralíticos, mas nunca ficava apenas nisto. Reanimava os doentes, dava-lhes esperanças novas, convidava-os à compreensão da Vida eterna.

Engolfara-me em pensamentos grandiosos, quando o companheiro voltou a falar:

— Tenho um amigo, nosso colega de profissão, que se encontra nas zonas inferiores, há alguns anos, atormentado por dois inimigos cruéis. Acontece que ele muito faliu como homem e médico. Era cirurgião exímio, mas, tão logo alcançou renome e respeito geral, impressionou-se com as aquisições monetárias e caiu desastradamente. Nos dias de grandes negócios financeiros, deslocava a mente das obrigações veneráveis, colocando-a distante, na esfera dos banqueiros comuns. Não fosse a proteção espiritual, essa atitude teria comprometido oportunidades vitais de muita gente. A colaboração do pobre amigo tornara-se quase nula, e alguns desencarnados nas intervenções cirúrgicas que ele praticava, notando-lhe a irresponsabilidade, atribuíram-lhe a causa da morte física, quando não a esperavam, votando-lhe ódio terrível. Amigos do operador prestaram esclarecimentos justos a muitos; entretanto, dois deles, mais ignorantes e maldosos, perseveraram na estranha atitude e o esperaram no limiar do sepulcro.

13.4 — Horrível! — exclamei. — Se ele, porém, não é culpado da desencarnação desses adversários gratuitos, como pode ser atormentado desse modo?

Explicou Vicente, em tom mais grave:

— Realmente, não tem a culpa da morte deles. Nada fez para interromper-lhes a existência física. Mas é responsável pela inimizade e incompreensão criadas na mente dessas pobres criaturas, porque, não estando seguro do seu dever, nem tranquilo com a consciência, o nosso amigo julga-se culpado, em razão das outras falhas a que se entregou imprevidentemente. Todo erro traz fraqueza, e, assim sendo, o nosso colega, por enquanto, não adquiriu forças para se desvencilhar dos algozes. Perante a Justiça divina, portanto, ele não resgata crimes inexistentes, mas repara certas faltas graves e aprende a conhecer-se a si mesmo, a entender as obrigações nobres e praticá-las, compreendendo, por fim, a felicidade dos que sabem ser úteis com segurança de fé em Deus e em si mesmos. A noção do dever bem cumprido, André, ainda que todos os homens permaneçam contra nós, é uma luz firme para o dia e abençoado travesseiro para a noite. O nosso colega, tendo abusado da profissão, entrou em dolorosa prova.

— Ah! sim — exclamei —, agora compreendo. Onde exista uma falta, pode haver muitas perturbações; onde apagamos a luz, podemos cair em qualquer precipício.

13.5

— Justamente.

Calou-se o amigo, andando, muito tempo, ao meu lado, como se estivesse surpreendido, como eu, defrontando as avenidas de rosas. Depois de longas meditações, convidou-me fraternalmente:

— Regressemos ao nosso núcleo. Creio devamos ouvir Aniceto, ainda hoje, referentemente ao serviço comum.

14
Preparativos

À noite, Aniceto veio ver-nos, começando por dizer: **14.1**
— Amanhã deveremos partir os três, a serviço nas esferas da crosta. Telésforo recomendou-me certas atividades de importância, mas posso atendê-las em particular, proporcionando a ambos uma estação semanal de experiência e serviço.

Fiquei radiante. Muita vez regressara ao ninho doméstico, tornara à cidade em que desenvolvera a tarefa última e, todavia, não me detivera no exame das possibilidades extensas do concurso fraternal. De quando em vez, era defrontado por situações difíceis, nas quais velhos conterrâneos encaravam problemas de vulto; entretanto, sentia-me incapaz de auxiliá-los, eficientemente, na solução desejável. Faltava-me técnica espiritual para fazê-lo. Não tinha bastante confiança em mim mesmo.

Deixando perceber que ouvira meus pensamentos profundos, Aniceto dirigiu-me a palavra de maneira especial, asseverando:
— Você, André, ainda não pôde auxiliar os amigos encarnados porque ainda não adquiriu a devida capacidade para ver.

É razoável. Quando na carne, somos muitas vezes inclinados a verificar tão somente os efeitos, sem ponderar as origens. No mendigo, vemos apenas a miséria; no enfermo, somente a ruína física. Faz-se indispensável identificar as causas.

14.2   Depois de meditar alguns momentos, prosseguiu:

— Procuraremos, contudo, remediar a situação. Amanhã, pela madrugada, você e Vicente apareçam no Gabinete de Auxílio Magnético às Percepções, que fica junto ao Centro de Mensageiros. Darei as providências para que vocês alcancem o necessário melhoramento da visão. Peço-lhes, todavia, receberem semelhante auxílio em prece. Roguem a Deus lhes permita a dilatação do poder visual. Compenetrem-se da grandeza desse dom sublime. E, sobretudo, enviem à Majestade eterna um pensamento de consagração ao seu amor e aos seus serviços divinos. Não desejo induzi-los a atitudes de fanatismo sem consciência. Não podemos abusar da oração aqui, segundo antigas viciações do sentimento terrestre. No círculo carnal, costumamos utilizá-la em obediência a delituosos caprichos, suplicando facilidades que surgiriam em detrimento de nossa própria iluminação. Aqui, todavia, André, a oração é compromisso da criatura para com Deus, compromisso de testemunhos, esforço e dedicação aos superiores desígnios. Toda prece, entre nós, deve significar, acima de tudo, fidelidade do coração. Quem ora, em nossa condição espiritual, sintoniza a mente com as esferas mais altas e novas luzes lhe abrilhantam os caminhos.

Diante da nobre autoridade de Aniceto, não me atrevi a falar e cheguei mesmo a recear a externação de qualquer pensamento.

Deixou-nos o generoso instrutor com palavras carinhosas de amizade e incentivo.

Vicente e eu acalentávamos projetos magníficos. Iríamos, pela primeira vez, cooperar a favor dos encarnados em geral.

Nosso repouso noturno foi brevíssimo. Aguardávamos, ansiosamente, a alvorada, a fim de receber o auxílio magnético do Gabinete referido.

Poucas vezes orei com a emoção daquela hora. **14.3**
Os esclarecidos técnicos da instituição colocaram-nos, primeiramente, em relação mental direta com eles e, em seguida, submeteram-nos a determinadas aplicações espirituais, que ainda não posso compreender em toda a extensão e transcendência. Observei, contudo, que a colaboração magnética não nos retirava o sentido consciencial, e aproveitei a oportunidade para a oração sincera, que era mais um compromisso de trabalho que ato de súplica, propriamente considerado.

Decorrido certo tempo, fomos declarados em liberdade para sair, quando nos prouvesse.

A princípio, nada notei de extraordinário, embora sentisse, dentro do coração, nova coragem e alegria diferente. Experimentava bom ânimo, até então desconhecido. Meus sentidos da visão e da audição pareciam mais límpidos.

Aniceto, que se mostrava muito satisfeito, esperava-nos no Centro, marcando a partida para o meio-dia.

Ansioso, aguardei o instante aprazado.

Não nos ausentamos de Nosso Lar como os viajores terrestres, geralmente carregados de matalotagens e volumes diversos.

— Aqui — disse Aniceto jocosamente —, toda a nossa bagagem é a do coração. Na Terra, malas, bolsas, embrulhos; mas, agora, devemos conduzir propósitos, energias, conhecimentos e, acima de tudo, disposição sincera de servir.

Alguns companheiros presentes riram-se com gosto.

Nesse instante, nosso orientador fez algumas recomendações. Designou colegas para a chefia de turmas de aprendizado, estabeleceu programas de serviço e notificou que voltaria à colônia, diariamente, por algumas horas, deixando-nos, Vicente e eu, nos serviços da crosta, em trabalhos e observações que deveriam prolongar-se por toda a semana.

14.4 Despedimo-nos dos camaradas de luta, repletos de esperança. Era a nossa primeira excursão de aprendizado e cooperação aos semelhantes.

Quando nos puséramos a caminho, nosso instrutor observou:

— Creio que a viagem para vocês será diferente. Certo, estão habituados à passagem livre, mantida por ordem superior para as atividades normais de nossos trabalhos e trânsito dos irmãos esclarecidos, em vésperas de reencarnação.

— Como assim? — perguntou Vicente, admirado.

— Pois não sabia? As regiões inferiores, entre Nosso Lar e os círculos da carne, são tão grandes que exigem uma estrada ampla e bem cuidada, requerendo também conservação, como as importantes rotas terrestres. Por lá, obstáculos físicos; por cá, obstáculos espirituais. As vias de comunicação normais destinam-se a intercâmbio indispensável. Os que se encontram nas tarefas da nossa rotina sagrada precisam livre trânsito e os que se dirigem da esfera superior à reencarnação devem seguir com a harmonia possível, sem contato direto com as expressões dos círculos mais baixos. A absorção de elementos inferiores determinaria sérios desequilíbrios no renascimento deles. Há que evitar semelhantes distúrbios. Nós, porém, seguimos numa expedição de aprendizado e experiência. Não devemos, por isso, preferir os caminhos mais fáceis.

Identificando-nos a perplexidade, Aniceto concluiu:

— Imaginemos um rio de imensas proporções, separando duas regiões diferentes. Existe o vau que oferece transporte rápido e há passagens diversas através de fundos precipícios.

Pela expressão do bondoso instrutor, concluí que ele poderia voltar à colônia quando quisesse, que não encontraria obstáculos de qualquer ordem, em parte alguma, em razão do poder espiritual de que se achava revestido, mas fazia-se peregrino, como nós, por devotamento à missão de ensinar. Vicente e eu não dispúnhamos de expressão vibratória adequada aos grandes feitos. Éramos vulgares, quanto o era a maioria dos habitantes da nossa cidade espiritual. Possuíamos apenas alguns princípios de volitação; contudo, permanecíamos muito distantes do verdadeiro poder. Nunca vira, pois, a energia e a humildade em tão belo consórcio. Aniceto dirigia-nos, firmemente, como orientador de pulso, vigoroso e sábio, mas não vacilava em se fazer igual a nós, a fim de servir como devotado companheiro.

14.5 Meditando sobre a lição sublime, em pleno impulso volitante, contemplei as torres de Nosso Lar, que iam ficando a distância...

15
A viagem

Depois de empregarmos o processo de condução rápida, **15.1**
atravessando imensas distâncias, surgiu uma região menos bela.
O firmamento cobrira-se de nuvens espessas e alguma coisa que
eu não podia compreender impedia-nos a volitação com facilidade. Creio que o mesmo não acontecia ao nosso instrutor, mas
Vicente e eu fazíamos enorme esforço para acompanhá-lo.

Aniceto percebeu, de pronto, nossos obstáculos e considerou:

— Será conveniente utilizarmos a locomoção. A atmosfera
começa a pesar muitíssimo e não devemos andar muito distante
de Campo da Paz. Não precisaremos ir até lá; todavia, descansaremos no Posto de Socorro. Encontraremos, ali, os recursos
indispensáveis.

— Mas que é isto? — perguntei, admirado da profunda
modificação ambiente.

— Estamos penetrando a esfera de vibrações mais fortes
da mente humana. Achamo-nos a grande distância da crosta;
entretanto, já podemos identificar, desde logo, a influenciação

mental da humanidade encarnada. Grandes lutas desenrolam-se nestes planos e milhares de irmãos abnegados aqui se votam à missão de ensinar e consolar os que sofrem. Em parte alguma escasseia o amparo divino.

15.2   Nesse instante, chegáramos ao cume de grande montanha, envolvida em sombra fumarenta. No solo, desenhavam-se trilhas diversas, à maneira de labirintos bem formados. Observando-nos a estranheza, Aniceto falou com otimismo:

— Sigamos!

Nesse momento, ó Deus de Bondade, alguma coisa imprevista me felicitava o coração. Contrastando as sombras, raios de luz desprendiam-se intensamente de nossos corpos. Extraordinária comoção apossou-se-me da alma. Vicente e eu ajoelhamo-nos a um só tempo, banhados em lágrimas, enviando ao Eterno os nossos profundos agradecimentos, em votos de júbilo fervoroso. Estávamos embriagados de ventura. Era a primeira vez que me vestia de luz, luz que se irradiava de todas as células do meu corpo espiritual. Aniceto, que se mantinha de pé, a contemplar-nos com expressão de alegria, falou comovidamente:

— Muito bem, meus amigos! Agradeçamos a Deus os dons de amor, sabedoria e misericórdia. Saibamos manifestar ao Pai o nosso reconhecimento. Quem não sabe agradecer não sabe receber e, muito menos, pedir.

Durante muito tempo, Vicente e eu mantivemo-nos em prece repleta de alegrias e de lágrimas... Em seguida, retomamos a marcha, como se estivéssemos vestidos em sublime luminosidade.

As surpresas, no entanto, sucediam-se ininterruptamente.

Aquelas vias de comunicação eram muito diversas das que conhecia até ali. Mergulhávamos num clima estranho, no qual predominavam o frio e a ausência de luz solar. A topografia era um conjunto de paisagens misteriosas, lembrando filmes fantásticos da cinematografia terrestre. Picos altíssimos semelhavam vigorosas agulhas de treva, desafiando a vastidão. Descíamos sempre, como viajores ladeando escuros precipícios, em país de exotismo ameaçador. Esquisita vegetação subia do solo, de espaço a espaço, entre os grandes abismos. Aves de horripilante aspecto surgiam, medrosas, de quando em quando, enchendo o silêncio de pios angustiados. Rija ventania soprava em todas as direções.

Fundamente assombrado, cobrei ânimo e perguntei ao nosso instrutor: **15.3**

— Que dizeis de tudo isto? Ignorava que houvesse tais regiões entre a crosta e nossa cidade espiritual. À nossa frente, sinto um mundo novo, que me é totalmente desconhecido... Por quem sois, nobre Aniceto, nada vos pergunto por ociosidade, mas estas terras me surpreendem profundamente.

Aniceto, sempre amável, sorriu docemente e respondeu:

— Todo este mundo que vemos é continuação de nossa Terra. Os olhos humanos veem apenas algumas expressões do vale em que se exercitam para a verdadeira visão espiritual, como nós outros que, observando agora alguma coisa, não estamos igualmente vendo tudo.

"Este, André, é um domínio diferente. A percepção humana não consegue apreender senão determinado número de vibrações. Comparando as restritas possibilidades humanas com as grandezas do Universo infinito, os sentidos físicos são muitíssimo limitados. O homem recebe reduzido noticiário do mundo que lhe é moradia. É verdade que tem devassado com a sua ciência problemas profundos. A astronomia terrena conhece que o Sol, por medidas aproximadas, é 1.300.000 vezes maior que a Terra e que a estrela Capela é 5.800 vezes maior que o nosso Sol; sabe que Arcturo equivale a milhares de sóis, iguais ao que nos ilumina; está informada de que Canópus corresponde a 8.760 sóis idênticos ao nosso, reunidos; mediu as distâncias entre o nosso planeta e a Lua; acompanha certos fenômenos em Marte,

Saturno, Vênus e Júpiter; sonda os milhões de sóis aglomerados na Via Láctea; conhece as estrelas variáveis, as nebulosas espirais e difusas. E não param as observações humanas na grandeza ilimitada do macrocosmo. A Ciência vai, igualmente, aos círculos atômicos; analisa a materialização da energia, o movimento dos elétrons, estuda o bombardeio de átomos e esquadrinha corpúsculos diversos. Mas todo esse trabalho, com a colaboração das lunetas de alta potência e dos geradores de milhões de volts, ainda é serviço que apenas identifica os aspectos exteriores da vida. Há, porém, André, outros mundos sutis, dentro dos mundos grosseiros, maravilhosas esferas que se interpenetram. O olho humano sofre variadas limitações e todas as lentes físicas reunidas não conseguiriam surpreender o campo da alma, que exige o desenvolvimento das faculdades espirituais para tornar-se perceptível. A eletricidade e o magnetismo são duas correntes poderosas que começam a descortinar aos nossos irmãos encarnados alguma coisa dos infinitos potenciais do invisível, mas ainda é cedo para cogitarmos de êxito completo. Somente ao homem de sentidos espirituais desenvolvidos é possível revelar alguns pormenores das paisagens sob nossos olhos. A maioria das criaturas ligadas à crosta não entende estas verdades senão após perderem os laços físicos mais grosseiros. É da lei que não devemos ver senão o que possamos observar com proveito."

15.4 Nessa altura, Aniceto calou-se.

Comovido com as instruções, guardei religioso silêncio.

Agora, em meio das sombras, divisava alguns vultos negros, que pareciam fugir apressados, confundindo-se na treva das furnas próximas.

Nosso orientador avisou cauteloso:

— Procuremos interromper os efeitos luminosos do nosso corpo espiritual. Bastará que pensem com vigor na necessidade dessa providência. Estamos atravessando extensa zona a que se acolhem muitos desventurados, e não é justo humilhar os que sofrem com a exibição de nossos bens.

    Obedecendo ao conselho, verifiquei o efeito imediato. Os fios de luz que me irradiavam do corpo apagaram-se como por encanto. A excursão tornou-se menos agradável. Descíamos, milagrosamente, através dos despenhadeiros de longa extensão. A sombra fizera-se mais densa, a ventania mais lamentosa e impressionante. **15.5**

    Após algum tempo de marcha em silêncio, divisamos ao longe um grande castelo iluminado. Aniceto fez um gesto significativo com o indicador e explicou:

— É um dos Postos de Socorro de Campo da Paz.

16
No Posto de Socorro

Deslumbrava-me a visão do castelo soberbo! Incapaz de exprimir a admiração que me dominava, acompanhei Aniceto em silêncio. Com grande surpresa, entretanto, verifiquei que a construção magnífica não se mantinha sem defesa. Cercavam-na pesados muros numa extensão que meus olhos não conseguiam abranger.

16.1

Quem imaginasse uma tal instituição, localizada nas zonas invisíveis, dificilmente conceberia contrafortes daquela natureza. A noção de céu e inferno, fundamente arraigada na mente popular, não deixa perceber que os homens, de modo geral, não se modificam com a morte física, como a troca de residência não significa mudança de personalidade para a criatura comum.

Espantado, notei que o nosso orientador fazia mover quase imperceptível campainha, disfarçada na muralha. Creio que, se Aniceto estivesse só, não precisaria desse expediente, dado o seu poder espiritual acima de todas as resistências grosseiras; no entanto, estávamos em sua companhia e, mais uma vez, quis igualar-se a nós, por fidalguia de tratamento. Ocultar a própria glória é do código do bom-tom nas sociedades espirituais nobres e santas.

16.2 Atendendo-nos, dois servidores abriram a porta extremamente pesada, que rodou nos gonzos, como se daria em qualquer edificação mais antiga do plano terrestre.

— Salve! Mensageiros do bem! — disseram ambos ao mesmo tempo, fixando Aniceto, em atitude reverente.

Aniceto levantou a mão, que se fez luminosa nesse instante, e balbuciou algumas palavras de amor, retribuindo a saudação respeitosa. Entramos.

Fiquei admirado! Pomares e jardins maravilhosos perdiam-se de vista. A sombra, aí, não era tão intensa. Sentíamo-nos banhados em suavidade crepuscular, graças aos grandes focos de luz radiante. O interior apresentava aspectos inesperados. Somente agora eu compreendia que a muralha ocultava a maioria das construções. Pavilhões de vulto aninhavam-se como se estivéssemos diante de prodigioso educandário. Turmas variadas de homens e mulheres dedicavam-se a serviços múltiplos. Ninguém parecia dar conta de nossa presença, tal o interesse que o trabalho despertava em cada um.

Acompanhávamos Aniceto através de numerosas fileiras de árvores senhoris, que se assemelhavam a carvalhos antiquíssimos.

Observava, todavia, que nesse abençoado Posto de Socorro a Natureza se fizera maternal. Havia, agora, mais luz no céu e o vento era mais fagueiro, sussurrando brandamente no arvoredo farto. O bondoso instrutor, notando a nossa admiração, esclareceu:

— Esta paz reflete o estado mental dos que vivem neste pouso de assistência fraterna. Acabamos de atravessar uma zona de grandes conflitos espirituais, que vocês ainda não podem perceber. A Natureza é mãe amorosa em toda a parte, mas cada lugar mostra a influenciação dos filhos de Deus que o habitam.

A explicação não poderia ser mais clara.

Atingindo o edifício central, construído à maneira de formoso castelo europeu dos tempos feudais, fomos defrontados por um casal extremamente simpático. 16.3

— Meu caro Aniceto! — falou o cavalheiro, abraçando o nosso orientador.

— Meu caro Alfredo! Minha nobre Ismália! — respondeu Aniceto, sorridente.

Após as saudações afetuosas, apresentou-nos, lisonjeiro.

O casal abraçou-nos, evidenciando cordialidade e atenção amiga.

— Nosso prezado Alfredo — continuou Aniceto, elucidando — é o dedicado administrador deste Posto de Socorro. Há muito tempo consagrou-se ao serviço de nossos irmãos ignorantes e desviados.

— Oh! Oh! não prossiga – revidou o apresentado, como a fugir às referências elogiosas –, consagrei-me simplesmente ao dever.

E, como se quisesse modificar a conversação, prosseguiu atencioso:

— Mas que surpresa agradável! Há muitos dias não temos visitas de Nosso Lar! Ainda bem que vieram hoje, quando Ismália veio igualmente ter comigo!...

"Pois quê?" — considerei intimamente. "Não seria aquela senhora de lindo semblante a esposa dele? Não viveriam ali juntos, como na Terra?" Antes, porém, que pudesse chegar a qualquer conclusão, Alfredo conduzia-nos ao interior doméstico. As escadas de substância idêntica ao mármore impressionavam-me pela transparente beleza.

De varanda extensa e nobre, onde as colunatas se enfeitavam de hera florida, muito diferente, porém, da que conhecemos na Terra, penetramos em vasto salão mobilado ao gosto mais antigo. Os móveis delicadamente esculturados formavam conjunto encantador. Admirado, fixei as paredes, de onde pendiam quadros maravilhosos. Um deles, contudo, impunha-me especial atenção. Era uma tela enorme, representando o martírio de São Dinis, o Apóstolo das Gálias rudemente supliciado nos primeiros tempos do Cristianismo, segundo meus humildes conhecimentos de História. Intrigado, recordei que vira, na Terra, um quadro absolutamente igual àquele. Não se tratava de um famoso trabalho de Bonnat, célebre pintor francês dos últimos tempos? A cópia do Posto de Socorro, todavia, era muito mais bela. A lenda popular estava lindamente expressa nos mínimos detalhes. O glorioso Apóstolo, seminu, com a cabeça decepada, tronco aureolado de intensa luz, fazia um esforço supremo por levantar o próprio crânio que lhe rolara aos pés, enquanto os assassinos o contemplavam, tomados de intenso horror; do alto, via-se descer um emissário divino, trazendo ao Servo do Senhor a coroa e a palma da vitória. Havia, porém, naquela cópia, profunda luminosidade, como se cada pincelada contivesse movimento e vida.

16.4   Observando-me a admiração, Alfredo falou, sorrindo:

— Quantos nos visitam, pela primeira vez, estimam a contemplação desta cópia soberba.

— Ah! sim — retruquei —, o original, segundo estou informado, pode ser visto no Panteão de Paris.

— Engana-se — elucidou o meu gentil interlocutor —, nem todos os quadros, como nem todas as grandes composições artísticas, são originariamente da Terra. É certo que devemos muitas criações sublimes à cerebração humana; mas, neste caso, o assunto é mais transcendente. Temos aqui a história real dessa tela magnífica. Foi idealizada e executada por nobre artista cristão, numa cidade espiritual muito ligada à França. Em fins do século passado, embora estivesse retido no círculo carnal, o grande pintor de Bayonne visitou essa colônia em noite de excelsa inspiração, que ele, humanamente, poderia classificar de maravilhoso sonho. Desde o minuto em que viu a tela, Florentin Bonnat não descansou enquanto não a reproduziu, palidamente, em desenho que ficou célebre no mundo inteiro. As cópias terrestres, todavia, não têm essa pureza de linhas e luzes, e nem mesmo a reprodução, sob nossos olhos, tem a beleza imponente do original, que já tive a felicidade de contemplar de perto, quando organizávamos, aqui no Posto, homenagens singelas para a honrosa visita que nos fez o grande servo do Cristo. Para movimentar as providências necessárias, visitei pessoalmente a cidade espiritual a que me referi.

Grande espanto apossara-se-me do coração. Via, agora, explicada a tortura santa dos grandes artistas, divinamente inspirados na criação de obras imortais; agora, reconhecia que toda arte elevada é sublime na Terra, porque traduz visões gloriosas do homem na luz dos planos superiores.

16.5

Parecendo interessado em completar meus pensamentos, Alfredo considerou:

— O gênio construtivo expressa superioridade espiritual com livre trânsito entre as fontes sublimes da vida. Ninguém cria sem ver, ouvir ou sentir, e os artistas de superior mentalidade costumam ver, ouvir e sentir as realizações mais altas do caminho para Deus.

Mas, voltando-se afável para Aniceto, exclamou:

— No entanto, o momento não comporta divagações. Sentemo-nos. Devem estar cansados da peregrinação difícil. Necessitam refazer energias e repousar algum tanto.

17
O romance de Alfredo

Depois de alguns minutos, utilizados por nós no serviço **17.1**
da higiene reconfortadora, Alfredo convidou-nos à mesa, onde Ismália, com extrema fidalguia, mandou servir frutos diversos.
Os senhores do castelo não podiam ser mais gentis.
Servidores iam e vinham, com grande júbilo a lhes transparecer do rosto.
A palestra de Alfredo e as observações de Ismália estavam cheias de notas interessantes e educativas.
— E qual a sua impressão dos serviços em geral? — perguntou Aniceto, atencioso, dirigindo-se ao dono da casa.
— Excelente, quanto às oportunidades de realização que nos oferecem — respondeu Alfredo em tom significativo —; entretanto, não tenho o mesmo parecer quanto à situação em curso. As zonas a que servimos estão repletas de novidades dolorosas. O presente período humano é de conflitos devastadores e as vibrações contraditórias que nos atingem são de molde a enfraquecer qualquer ânimo menos decidido.

Desencarnados e encarnados empenham-se em batalhas destruidoras. É uma lástima.

17.2 — Multiplica-se o número de necessitados que recorrem ao Posto? — continuou indagando nosso orientador.

— Enormemente. Nossa produção de alimentos e remédios tem sido integralmente absorvida pelos famintos e doentes. Tenho 500 cooperadores, mas nos sentimos presentemente incapazes de atender a todas as obrigações. As massas de sofredores são incontáveis. Noutro tempo, nossa paisagem se mantinha sem sombras, durante muitas semanas, mas agora...

Nesse instante, Ismália pediu licença para dirigir-se ao interior. E como Alfredo fixasse os olhos nos meus, aventurei-me a considerar:

— Ainda bem que tendes uma abnegada companheira ao vosso lado.

Ele e Aniceto sorriram, quase a um só tempo, falando-nos o administrador:

— Ah! meus amigos, por enquanto não tenho essa felicidade em caráter definitivo. Minha esposa e eu temos o divino compromisso da união eterna, mas ainda não lhe mereço a presença contínua. Ela é a bondade celeste, e eu, a realidade humana.

Depois de pequena pausa, prosseguiu com gentileza:

— Aniceto conhece-nos a história. Vocês, porém, a ignoram. Sentir-me-ei, portanto, contente, em relatar algumas lembranças, com benefício duplo. Aliviarei o coração, uma vez mais, contando minhas faltas, e vocês dois, que talvez tenham em breve novos serviços na Terra, aproveitarão, por certo, alguma coisa das minhas experiências.

"Ismália e eu guardávamos um escrínio de felicidade no mundo; no entanto, os salteadores perversos espreitavam-nos a ventura. Minha responsabilidade era enorme no campo dos negócios materiais, e, longe de compreender as obrigações sublimes de esposo e pai, não procurava atender aos deveres justos para com o lar e os dois filhinhos que Deus me enviara ao círculo doméstico. Ismália, porém, era a providência de nossa casa. Esqueci-me, contudo, de que a virtude, a qualquer tempo, será atormentada pelo vício, e minha nobre companheira foi vítima da maldade de um amigo desleal, com quem tinha eu inúmeros interesses em comum, no campo monetário. Minha esposa sofreu, em silêncio, a perseguição dele por alguns anos consecutivos. E quando meu desventurado sócio verificou a inutilidade da atitude criminosa, em franco desespero buscou envenenar-me o espírito desprevenido. Começou por advertir-me quanto ao procedimento dela. Atordoou-me, envolvendo-a em acusações descabidas. Subornou criados domésticos e colocou espiões que seguissem minha querida Ismália, nas tarefas de esposa e mãe. Esse homem exercia profunda influência sobre mim, e, atendendo aos laços que nos uniam, minha companheira jamais se sentiu com bastante coragem para denunciá-lo. Enquanto dava ouvidos à calúnia, fora de meu círculo doméstico, tornara-me intolerável dentro dele. Não sabia contemplar minha esposa com a despreocupação e a confiança absoluta de outra época. Via o mal nos seus mínimos gestos e queria descobrir segundas intenções nas suas frases mais inocentes. Cheguei a acusá-la, veladamente. Ismália chorou e calou-se. Por fim, nosso infeliz perseguidor subornou um homem de baixa condição que permaneceu, certa noite, ao lado de nossos aposentos particulares como vulgar ladrão, às ocultas, sendo eu convocado à prova máxima. Penetrei no quarto em extremo desespero e acusei em voz alta ao ver a companheira profundamente tranquila. Ismália levantou-se, receosa da minha saúde mental, mas não lhe atendi os rogos, procurando, como louco, o conspurcador da minha honra... Abri violentamente grande armário antigo, vasculhando o quarto. Nesse instante, o vulto de um homem esgueirou-se na sombra, do aposento próximo, e, antes que eu pudesse agarrá-lo no meu ódio infrene, saltou a janela, alcançando o pomar de nossa casa. Corri, desesperado, detonando balas a esmo, mas nada consegui. Regressei ao quarto e, para cúmulo da calúnia odiosa, o desconhecido deixara, atrás de si, um chapéu novo, rigorosamente moderno, para que se acentuassem meus sentimentos terríveis. Olhos congestos, vomitando insultos, quis eliminar Ismália, banhada em lágrimas a meus pés; no entanto, alguma coisa, que nunca pude compreender na Terra, paralisou-me o braço quase homicida. Vociferando blasfêmias, surdo aos rogos dela, afastei-me do lar, tomado de horror. No dia imediato, fiz valer meu direito exclusivo sobre os filhos e providenciei para que Ismália, convertida em estátua de dor, fosse restituída à fazenda paterna. Contratei uma governanta para os meninos e, logo após, tomei um paquete para a Europa, onde me demorei mais de três anos. Nunca me propus a verificações sérias, e, embora tivesse o espírito incessantemente atormentado, humilhei os sentimentos mais íntimos, jamais procurando notícias da companheira caluniada. Certo dia, recebi uma carta lacônica na costa francesa. Um parente dava-me informações da esposa. Após dois anos angustiosos, entre a saudade e o abandono, Ismália fora colhida pela tuberculose, falecendo em terrível martirológio moral. Deliberei, então, a volta. Fixei-me novamente no Rio, eduquei os filhinhos e conservei a dolorosa viuvez no desencanto do coração. Os anos rolaram uns sobre os outros, quando fui chamado à cabeceira do ex-sócio agonizante. O infeliz, em face da morte, confessou o crime odioso, pedindo um perdão que, infelizmente, não pude conceder. Transformei-me, desde então, num louco irremediável. Cansado, envelhecido, procurei a propriedade rural dos sogros, tentando reparar, de alguma sorte, a injustiça, mas a morte não me deu ensejo e voltei para a esfera dos desencarnados, em tristes condições espirituais."

Nesse instante, fez uma pausa, para continuar comovido:

— Não preciso dizer que recebi de Ismália todo o amparo de que necessitava. Todavia, infelizmente para mim, estávamos separados. Não mereci a bênção da união sublime. Ismália segue-me de perto, mas tem residência num plano superior, que devo esforçar-me por alcançar. Desde muito, dediquei-me aos serviços do nosso Posto de Socorro, consagrei-me aos ignorantes e sofredores, e minha santa Ismália vem até aqui, mensalmente, incentivar-me o bom ânimo e amparar-me nas lutas. 17.3

— Mas não poderia ela transferir-se definitivamente para aqui? — indagou Vicente, tão impressionado quanto eu, com o romance comovedor.

Alfredo sorriu e falou:

— Sei que Ismália tem trabalhado para isso, que seu ideal de união eterna é idêntico ao meu, atendendo à circunstância de estar o superior sempre em posição de dar ao inferior; mas não ignoro que foi advertida, por nossos maiores, das minhas atuais necessidades de esforço e solidão. Preciso conhecer o preço da felicidade, para não menosprezar, de novo, as bênçãos de Deus. Minha esposa deseja descer para encontrar-se definitivamente comigo; entretanto, é necessário que eu aprenda a subir e, por este motivo, ainda não recebemos a devida permissão para o definitivo consórcio espiritual.

Observando-nos a emoção, concluiu:

— Estou resgatando crimes de precipitação. Pela impulsividade delituosa, perdi minha paz, meu lar e minha devotada companheira. Conforme ouviram, não matei nem roubei a ninguém, mas envenenei-me a mim próprio. A calúnia é um monstro invisível, que ataca o homem por meio dos ouvidos invigilantes e dos olhos desprevenidos.

18
Informações e esclarecimentos

A volta de Ismália ao círculo da conversação impediu o 18.1 prosseguimento do assunto.

Aproveitando, talvez, a oportunidade, Aniceto perguntou ao administrador:

— Que me diz da continuação de nossa viagem? Estimaríamos alcançar, ainda hoje, as esferas da crosta.

Dirigiu-nos Alfredo significativo olhar e falou:

— Não me sinto com o direito de alterar-lhes o plano de serviço, mas seria conveniente pernoitarem aqui. Nossos aparelhos assinalam aproximação de grande tempestade magnética, ainda para hoje. Sangrentas batalhas estão sendo travadas na superfície do globo. Os que não se encontram nas linhas de fogo permanecem nas linhas da palavra e do pensamento. Quem não luta nas ações bélicas está no combate das ideias, comentando a situação. Reduzido número de homens e mulheres continua cultivando a espiritualidade superior. É natural, portanto, que se intensifiquem, ao longo da crosta, espessas nuvens de resíduos mentais dos encarnados invigilantes, multiplicando as tormentas destruidoras.

18.2   Aniceto escutava com atenção.

— Não me preocupo com sua pessoa — continuou Alfredo, dirigindo-se de maneira particular ao nosso instrutor —, mas estes dois amigos, penso, seriam desagradavelmente surpreendidos.

— Tem razão — concordou Aniceto.

E, esboçando significativa expressão fisionômica, prosseguiu:

— Avalio o sacrifício dos nossos companheiros espirituais, nos trabalhos de preservação da saúde humana.

— São grandes servidores — disse o senhor do castelo. — De quando em quando, observo-lhes, pessoalmente, os núcleos de atividade santa. A Humanidade parece preferir a condição de eterna criança. Faz e desfaz os patrimônios da civilização, como se brincasse com bonecas. Nossos amigos suportam pesados fardos de serviço para que as tormentas magnéticas, invisíveis ao olhar humano, não disseminem vibrações mortíferas, a se traduzirem pela dilatação de penúrias da guerra e por epidemias sem conta. As colônias espirituais da Europa, mormente as de nosso nível, estão sofrendo amargamente para atenderem às necessidades gerais. Já começamos a receber grandes massas de desencarnados, em consequência dos bombardeios. Nosso Lar, pela missão que lhe cabe, ainda não pode imaginar todo o esforço que o conflito mundial vem exigindo da nossa colaboração nas esferas mais baixas. Os Postos de Socorro de várias colônias, ligadas a nós, estão superlotados de europeus desencarnados violentamente. Fomos notificados de que as súplicas da Europa dilaceram o coração angélico dos mais altos cooperadores de Nosso Senhor Jesus Cristo. Aos terríveis bombardeios na Inglaterra, Holanda, Bélgica e França, sucedem-se outros de não menor extensão. Depois de reiteradas assembleias dos nossos mentores espirituais, resolveu-se providenciar a remoção de, pelo menos, cinquenta por cento dos desencarnados na guerra em curso, para os nossos núcleos americanos. Temos aqui o nosso campo de concentração com mais de quatrocentos.

— Mas não há dificuldade no socorro a essa gente? — indagou Aniceto em tom grave. — E a questão da linguagem?

18.3

— Os serviços de socorro, apesar de intensos na Europa, têm sido muito bem organizados — explicou Alfredo —; para cada grupo de cinquenta infelizes, as colônias do Velho Mundo fornecem um enfermeiro-instrutor, com quem nos possamos entender, de modo direto. Desse modo, o problema não pesa tanto, porque nossa parte de colaboração consta de fornecimento de pessoal de serviço e de material de assistência.

— Não seria, porém, mais justo — indagou Vicente — que os desencarnados dessa espécie fossem mantidos nas próprias regiões do conflito?

Alfredo sorriu e explicou:

— Nossos instrutores mais elevados são de parecer que essas aglomerações seriam fatais à coletividade dos Espíritos encarnados. Determinariam focos pestilenciais de origem transcendente, com resultados imprevisíveis. Inúmeros de nossos irmãos que perdem o corpo nas zonas assoladas não conseguem subtrair-se ao campo da angústia; mas quantos ofereçam possibilidades de transferência para cá, dentro das nossas cotas de alojamento, são retirados dali, sem perda de tempo, para que seus pensamentos atormentados não pesem em demasia nas fontes vitais das regiões sacrificadas.

Nesse ínterim, Aniceto interveio, esclarecendo:

— Embalde voltarão os países do mundo aos massacres recíprocos. O erro de uma nação influirá em todas, como o gemido de um homem perturbaria o contentamento de milhões. A neutralidade é um mito; o insulamento, uma ficção do orgulho político. A humanidade terrestre é uma família de Deus, como bilhões de outras famílias planetárias no Universo infinito. Em vão a guerra desfechará desencarnações em massa. Esses mesmos mortos pesarão na economia espiritual da Terra. Enquanto houver discórdia entre nós, pagaremos doloroso preço em suor e lágrimas. A guerra fascina a mentalidade de todos os povos, inclusive de grande número de núcleos das esferas invisíveis. Quem não empunha as armas destruidoras dificilmente se afastará do verbo destruidor, no campo da palavra ou da ideia. Mas todos nós pagaremos tributo. É da Lei divina que nos entendamos e nos amemos uns aos outros. Todos sofreremos os resultados do esquecimento da lei, mas cada um será responsabilizado, de perto, pela cota de discórdia que haja trazido à família mundial.

18.4   Alfredo, que parecia ponderar seriamente os conceitos ouvidos, observou:

— É justo.

Aniceto voltou a considerar, após silêncio mais longo:

— Estive pessoalmente, a semana passada, em "Alvorada Nova", que fica em zonas mais altas, e vim a saber que avançados núcleos de espiritualidade superior, dos planetas vizinhos, desde as primeiras declarações desta guerra, determinaram providências de máxima vigilância, nas fronteiras vibratórias mantidas conosco. Ensinam-nos os vizinhos beneméritos que devemos suportar, nos próprios ombros, toda a produção de mal que levarmos a efeito. Somos, finalmente, a casa grande, obrigada a lavar a roupa suja nas próprias dependências.

Sorrimos todos com essa comparação.

Ismália, que permanecia em silêncio, não obstante a funda impressão que se lhe estampara no rosto, considerou com delicadeza:

— Infelizmente, na feição coletiva, somos ainda aquela Jerusalém escravizada ao erro. Todos os dias somos curados por Jesus e todos os dias conduzimo-lo ao madeiro. Nossas obras estão reduzidas quase a simples recapitulações que fracassam sempre. Não saímos do estágio da experiência. E, dolorosamente para nós, estamos sempre a ensaiar, no mundo, a política com os Césares, a justiça com os Pilatos, a fé religiosa com os Fariseus, o sacerdócio com os rabinos do Sinédrio, a crença com os Jairos, que acreditam e duvidam ao mesmo tempo, os negócios com os Anases e Caifases. Neste passo, não podemos prever a extensão dos acontecimentos cruciais.

Encantado com as definições ouvidas, aventurei-me a dizer: 18.5

— Como é angustiosa, porém, a destruição pela guerra!

— Nestes tempos, contudo — observou Alfredo, bondosamente —, a prece é uma luz mais intensa no coração dos homens. Bem se diz que a estrela brilha mais fortemente nas noites sem luz. Imaginem que, para iniciar providências de recepção aos desencarnados em desespero, já fui, mais de uma vez, aos serviços de assistência na Europa. Há dias, em missão dessa natureza, fomos, eu e alguns companheiros, aos céus de Bristol. A nobre cidade inglesa estava sendo sobrevoada por alguns aviões pesados de bombardeio. As perspectivas de destruição eram assustadoras. No seio da noite, porém, destacava-se, à nossa visão espiritual, um farol de intensa luz. Seus raios faiscavam no firmamento, enquanto as bombas eram arremessadas ao solo. A chefia da expedição recomendou nossa descida no ponto luminoso. Com surpresa, verifiquei que estávamos numa igreja, cujo recinto devia ser quase sombrio para o olhar humano, mas altamente luminoso para nossos olhos. Notei, então, que alguns cristãos corajosos reuniam-se ali e cantavam hinos. O Ministro do culto lera a passagem dos *Atos*, em que Paulo e Silas cantavam à meia-noite, na prisão, e as vozes cristalinas elevavam-se ao Céu, em notas de fervorosa confiança. Enquanto rebentavam estilhaços lá fora, os discípulos do Evangelho cantavam, unidos, em celestial vibração de fé viva. Nosso chefe mandou que nos conservássemos de pé, diante daquelas almas heroicas, que recordavam os primeiros cristãos perseguidos, em sinal de respeito e reconhecimento. Ele também acompanhou os hinos e depois nos disse que os políticos construiriam os abrigos antiaéreos, mas que os cristãos edificariam na Terra os abrigos antitrevosos.

18.6 "Às vezes" — concluiu o senhor do castelo, em tom significativo — "é preciso sofrer para compreender as bênçãos divinas".

19
O sopro

Depois de interessantes considerações relativamente à situação dos círculos carnais, Aniceto voltou a examinar nossas necessidades de serviço. **19.1**

Muito amável, Alfredo ponderou:

— Em virtude da tormenta iminente, poderiam demorar conosco algumas horas, seguindo amanhã, ao alvorecer.

E, com profunda surpresa, ouvi-o afirmar:

— Poderão utilizar meu carro, até à zona em que se torne possível. Fornecerei condutor adestrado e ganharão muito tempo com a medida.

Não podia caber em meu espanto. Embora conhecesse as operações dos Samaritanos em Nosso Lar, que empregavam grandes veículos de tração animal em trabalhos de salvamento nas regiões inferiores, e considerasse as dificuldades de vulto que defrontáramos na caminhada longa, rumo ao Posto de Socorro, não supunha possível semelhante condução naquele instituto de auxílio.

19.2   Soube, mais tarde, que os sistemas de transporte, nas zonas mais próximas da crosta, são muito mais numerosos do que se poderia imaginar, em bases transcendentes do eletromagnetismo.

Nosso orientador, que parecia meditar gravemente a situação, observou preocupado:

— Entretanto, temos serviços urgentes nos círculos carnais. Vicente e André precisam iniciar aprendizado ativo.

Alfredo sorriu bondoso, asseverando:

— Quanto a isso, não necessitaremos de maiores cuidados. Há sempre quefazeres em toda a parte. Onde houver espírito de cooperação da criatura, existe igualmente o serviço de Deus. Nossos amigos poderiam colaborar conosco, ainda hoje, nas atividades de assistência. Acompanhar-nos-iam, por exemplo, nos trabalhos da prece, nos quais há sempre muita coisa a fazer e muita lição a aprender.

— Excelente sugestão! — exclamou nosso instrutor. — A oração individual, ou coletiva, é sempre vasto reservatório de ensinos edificantes.

— Aliás — falou Ismália, afetuosa —, não devemos demorar. Estamos quase na hora.

Nesse momento, como se fora chamado, de súbito, à lembrança de grave compromisso de trabalho, falou o administrador, dirigindo-se à companheira:

— É preciso prevenir Olívia e Madalena das providências que se fazem imperiosas para a noite. Necessitaremos a colaboração de mais alguns técnicos do sopro. Temos alguns irmãos em estado grave, tomados de impressões físicas mais fortes.

— Técnicos do sopro? — indaguei assombrado, antes que Ismália pudesse fazer qualquer observação referente aos serviços.

— Sim, meu amigo — respondeu Alfredo, atenciosamente —, o sopro curador, mesmo na Terra, é sublime privilégio do homem. No entanto, quando encarnados, demoramo-nos muitíssimo a tomar posse dos grandes tesouros que nos pertencem. Comumente, vivemos por lá, perdendo tempo com a fantasia, acreditando em futilidades ou alimentando desconfianças. Quem pudesse compreender, entre as formas terrestres, toda a extensão deste assunto poderia criar no mundo os mais eficientes processos soproterápicos.

— Mas semelhante patrimônio está à disposição de qualquer Espírito encarnado? — perguntou Vicente, compartilhando minha surpresa. 19.3

Nosso interlocutor pensou alguns instantes e respondeu atencioso:

— Como o passe, que pode ser movimentado pelo maior número de pessoas, com benefícios apreciáveis, também o sopro curativo poderia ser utilizado pela maioria das criaturas, com vantagens prodigiosas. Entretanto, precisamos acrescentar que, em qualquer tempo e situação, o esforço individual é imprescindível. Toda realização nobre requer apoio sério. O bem divino, para manifestar-se em ação, exige a boa vontade humana. Nossos técnicos do assunto não se formaram de pronto. Exercitaram-se longamente, adquiriram experiências a preço alto. Em tudo há uma ciência de começar. São servidores respeitáveis pelas realizações que atingiram, ganham remunerações de vulto e gozam enorme acatamento, mas, para isso, precisam conservar a pureza da boca e a santidade das intenções.

Compreendendo o interesse que suas palavras despertavam, continuou o administrador, depois de pequena pausa:

— Nos círculos carnais, para que o sopro se afirme suficientemente, é imprescindível que o homem tenha o estômago sadio, a boca habituada a falar o bem, com abstenção do mal, e a mente reta, interessada em auxiliar. Obedecendo a esses requisitos, teremos o sopro calmante e revigorador, estimulante e curativo. Por intermédio dele, poder-se-á transmitir, também na crosta, a saúde, o conforto e a vida.

19.4   E, como Vicente e eu não pudéssemos ocultar a perplexidade, Alfredo considerou:

— Isto não é novo. Jesus, além de tocar naqueles a quem curava, concedia-lhes, por vezes, o sopro divino. O sopro da vida percorre a Criação inteira. Toda página sagrada, comentando o princípio da existência, refere-se a isso. Nunca pensaram no vento como sopro criador da Natureza? Quanto a mim, desde o ingresso em Campo da Paz, quando fui ali recolhido em péssimas condições espirituais, tenho aprendido maravilhosas lições nesse particular. Tanto assim que, chefiando este Posto, tenho incentivado, com as possibilidades ao meu alcance, a formação de novos cooperadores nesse sentido, oferecendo compensações aos que se decidam iniciar a tarefa de especialização, nem sempre fácil para todos.

A esse tempo, Ismália recebia algumas colaboradoras de importância, que se preparavam para a tarefa.

Impressionado com o que ouvira, acompanhei de perto as providências que se organizavam.

Encontrando-me, porém, mais a sós com Aniceto, transmiti-lhe minha enorme surpresa, respondendo-me ele em tom confidencial:

— Esquecem-se vocês de que a própria *Bíblia*, aludindo aos primórdios do homem, narra que o Criador assoprou na forma criada, comunicando-lhe o fôlego da vida. Referindo-nos aos nossos irmãos encarnados, faz-se preciso reconhecer, André, que, mesmo partindo de homens imperfeitos, mas de boa vontade, todo sopro com intenção de aliviar ou curar tem relevante significação entre as criaturas, porque todos nós somos herdeiros diretos do divino Poder. Aliás, é necessário observar também que não estamos diante de uma exclusividade. Você, por certo, passou muito ligeiramente pelo nosso Ministério do Auxílio. Temos, ali, grande instituto especializado nesse sentido, onde nobres colegas se votam a essa modalidade de cooperação. No plano carnal, toda boca, santamente intencionada, pode prestar apreciáveis auxílios, notando-se, porém, que as bocas generosas e puras poderão distribuir auxílios divinos, transmitindo fluidos vitais de saúde e reconforto.

Esperava que Aniceto prosseguisse, mostrando-me as qualidades magnéticas do sopro, mas Alfredo acercara-se de nós, operoso e solícito, exclamando: **19.5**

— Estamos no momento destinado aos trabalhos de assistência e oração.

— Segui-lo-emos com prazer — respondeu nosso instrutor, sorrindo.

Era necessário interromper a lição, atendendo a deveres diferentes.

20
Defesas contra o mal

Descemos as escadarias e, em frente dos muros altos, pude 20.1
observar a extensão das defesas do soberbo edifício. Aquela construção grandiosa era muito mais importante que a de qualquer castelo antigo, transformado em fortaleza.
Novamente no exterior, podia detalhar a visão panorâmica com mais exatidão. Reconhecia, agora, que entráramos por um baluarte avançado, identificando a imponência da construção majestosa. Apresentavam-se-me as linhas gerais com nitidez.
Impressionavam-me, sobretudo, as fortificações. Via a torre de mensagem, consagrada, por certo, ao serviço de resistência; o baluarte agudo, elevando-se acima dos fossos que deixavam transbordar a água corrente; a torre de vigia, esbelta e alterosa. Observei o caminho da ronda, a cisterna, as seteiras e, em seguida, as paliçadas e barbacãs, refletindo na complexidade de todo aquele aparelhamento defensivo. E as armas? Identificava-lhes a presença na maquinaria instalada ao longo dos muros, copiando os pequenos canhões conhecidos na Terra. Entretanto, vi com

emoção, no cume da torre de vigia, a enorme bandeira de paz, muito alva, tremulando ao vento como largo penacho de neve...

20.2   O administrador percebeu a estranheza que se apossara de Vicente e de mim.

— Já sei a impressão que a nossa defesa lhes causa — disse Alfredo, detendo-se para explicar.

Fixando-nos com o olhar muito lúcido, continuou:

— Naturalmente, não imaginavam necessárias tantas fortificações. Conforme veem, nossa bandeira é de concórdia e harmonia; no entanto, é imprescindível considerar que estamos em serviço que precisaremos defender, em qualquer circunstância. Enquanto não imperar a lei universal do amor, é indispensável persevere o reinado da justiça. Nosso Posto está colocado, aqui, igualmente, como "ovelha em meio de lobos", e, embora não nos caiba efetuar o extermínio das feras, necessitamos defender a obra do bem contra os assaltos indébitos. As organizações dos nossos irmãos consagrados ao mal são vastíssimas. Não admitam a hipótese de serem, todos eles, ignorantes ou inconscientes. A maioria se constitui de perversos e criminosos. São entidades verdadeiramente diabólicas. Não tenham disso qualquer dúvida.

— Deus meu! — exclamou Vicente, admirado. — Mas por que se organizam deliberadamente para o mal? Não sabem, porventura, que todos os patrimônios universais pertencem à Majestade divina? Não reconhecem o soberano Poder?

— Ah! meu amigo — falou Alfredo em tom grave —, fiz as mesmas perguntas quando aqui cheguei pela primeira vez. As respostas que tive foram incisivas e concludentes. Poderíamos, Vicente, formular na crosta as mesmas interrogações. Os criminosos que fazem as vítimas da guerra, os exploradores da economia popular, os avarentos misérrimos, os sedentos de injustificado predomínio e os vaidosos cheios de fatuidade sabem, tão bem quanto os nossos adversários daqui, que tudo pertence a Deus, que o homem é simples usufrutuário dos divinos bens. Não ignoram que os antepassados foram chamados à verdade e a contas pela morte, e que eles seguirão os mesmos caminhos; entretanto, atormentam-se na crosta como verdadeiros loucos, amontoando possibilidades para a ruína e abusando das oportunidades mais santas. Aqui se verifica a mesma coisa. Querem dominar antes de se dominarem, exigem antes de dar e entram em perene conflito com o espírito divino da lei. Estabelecido o duelo entre a fantasia deles e a verdade do Pai, resistem às corrigendas do Senhor e transformam-se, esses desventurados, em verdadeiros gênios da sombra, até que, um dia, se decidam a novos rumos.

Intrigado com as profundas observações, perguntei: **20.3**

— Mas como explicar as bases de semelhante atitude? Na Terra, compreendemos certos enganos, mas aqui...

O generoso interlocutor não me deixou terminar e prosseguiu:

— Na crosta, nossos irmãos menos felizes lutam pela dominação econômica, pelas paixões desordenadas, pela hegemonia de falsos princípios. Nestas zonas imediatas à mente terrestre, temos tudo isso em identidade de condições. Entre as entidades perversas e ignorantes, há cooperativas para o mal, sistemas econômicos de natureza feudalista, baixa exploração de certas forças da Natureza, vaidades tirânicas, difusão de mentiras, escravização dos que se enfraquecem pela invigilância, doloroso cativeiro dos Espíritos falidos e imprevidentes, paixões talvez mais desordenadas que as da Terra, inquietações sentimentais, terríveis desequilíbrios da mente, angustiosos desvios do sentimento. Em todo lugar, meu amigo, as quedas espirituais, perante o Senhor, são sempre as mesmas, embora variem de intensidade e coloração.

— Mas... e as armas? — perguntei. — Acaso são utilizadas?

— Como não? — disse Alfredo, pressuroso. — Não temos balas de aço, mas temos projéteis elétricos. Naturalmente, a ninguém atacaremos. Nossa tarefa é de socorro e não de extermínio.

20.4   — No entanto — aduzi, sob forte impressão —, qual o efeito desses projéteis?

— Assustam terrivelmente — respondeu ele, sorrindo — e, sobretudo, demonstram as possibilidades de uma defesa que ultrapassa a ofensiva.

— Mas apenas assustam? — tornei a interrogar.

Alfredo sorriu mais significativamente e acrescentou:

— Poderiam causar a impressão de morte.

— Que diz! — exclamei com insofreável espanto.

O administrador meditou alguns instantes, e, ponderando, talvez, a gravidade dos esclarecimentos, obtemperou:

— Meu amigo! meu amigo! se já não estamos na carne, busquemos desencarnar também os nossos pensamentos. As criaturas que se agarram, aqui, às impressões físicas estão sempre criando densidade para os seus veículos de manifestação, da mesma forma que os Espíritos dedicados à região superior estão sempre purificando e elevando esses mesmos veículos. Nossos projetis, portanto, expulsam os inimigos do bem por meio de vibrações do medo, mas poderiam causar a ilusão da morte, atuando sobre o corpo denso dos nossos semelhantes menos adiantados no caminho da vida. A morte física, na Terra, não é igualmente pura impressão? Ninguém desaparece. O fenômeno é apenas de invisibilidade ou, por vezes, de ausência. Quanto à responsabilidade dos que matam, isto é outra coisa. E além desta observação, que é da alçada da Justiça divina, temos a considerar, igualmente, que, nesta esfera, o corpo denso modificado pode ressurgir todos os dias, pela matéria mental destinada à produção dele, enquanto, para obter o corpo físico, almas há que trabalham, por vezes, durante séculos...

Vicente e eu caláramos, estupefatos.

Alfredo sorriu serenamente e perguntou bem-humorado:

— Vocês conhecem a lenda hindu da serpente e do santo?

Ante a nossa expressão negativa, o administrador continuou: **20.5**

— Contam as tradições populares da Índia que existia uma serpente venenosa em certo campo. Ninguém se aventurava a passar por lá, receando-lhe o assalto. Mas um santo homem, a serviço de Deus, buscou a região, mais confiado no Senhor que em si mesmo. A serpente o atacou, desrespeitosa. Ele dominou-a, porém, com o olhar sereno, e falou: "Minha irmã, é da lei que não façamos mal a ninguém". A víbora recolheu-se envergonhada. Continuou o sábio o seu caminho e a serpente modificou-se completamente. Procurou os lugares habitados pelo homem, como desejosa de reparar os antigos crimes. Mostrou-se integralmente pacífica, mas, desde então, começaram a abusar dela. Quando lhe identificaram a submissão absoluta, homens, mulheres e crianças davam-lhe pedradas. A infeliz recolheu-se à toca, desalentada. Vivia aflita, medrosa, desanimada. Eis, porém, que o santo voltou pelo mesmo caminho e deliberou visitá-la. Espantou-se, observando tamanha ruína. A serpente contou-lhe, então, a história amargurada. Desejava ser boa, afável e carinhosa, mas as criaturas perseguiam-na e apedrejavam-na. O sábio pensou, pensou e respondeu após ouvi-la: "Mas, minha irmã, houve engano de tua parte. Aconselhei-te a não morderes ninguém, a não praticares o assassínio e a perseguição, mas não te disse que evitasses de assustar os maus. Não ataques as criaturas de Deus, nossas irmãs no mesmo caminho da vida, mas defende a tua cooperação na obra do Senhor. Não mordas, nem firas, mas é preciso manter o perverso a distância, mostrando-lhe os teus dentes e emitindo os teus silvos".

Nesse momento, Aniceto sorriu de maneira expressiva.

O administrador fez longa pausa e concluiu:

— Creio que a fábula dispensa comentário.

21
Espíritos dementados

Inúmeros servidores acompanhavam-nos ao serviço. Mo-   **21.1**
vimentavam-se carregadores sem conta. Conduziam grandes botijas d'água, caldeirões de sopa, vasos de substância medicamentosa, em galeotas diversas.

Mais alguns passos e notei que centenas de entidades se reuniam em vastos albergues, olhos vagueantes e rostos sombrios, parecendo uma assembleia de loucos em manicômio de amplas proporções.

Alfredo aconselhou umas tantas providências de serviço à maioria dos técnicos do sopro curativo, os quais se desviaram de nós, rumo às edificações situadas em zona diferente.

Gentilmente nos explicava que os benfeitores de Campo da Paz localizavam, ali, grande número de Espíritos enfermos, mais desequilibrados que propriamente perversos. Os doentes que tínhamos sob os olhos permaneciam em melhores condições. Já se locomoviam e muitos deles já conversavam, apesar do desequilíbrio que lhes assinalava as palavras e pensamentos.

21.2   Esclarecia-nos sobre as múltiplas obrigações do trabalho de rotina, quando algumas entidades se acercaram, respeitosas:

— Senhor Alfredo — disse um velho de barbas muito alvas —, estou aguardando o resultado da minha petição. Em que ficamos, quanto às minhas terras e os escravos? Paguei bom preço ao Carmo Garcia. Sabe o senhor que venho sendo perseguido durante muitos anos, e não posso perder mais tempo. Quando volto para casa? Creio esteja o senhor ciente da necessidade de eu voltar ao seio dos meus. Esperam-me a mulher e os filhos.

Como excelente médico da alma, Alfredo prestou a maior atenção e respondeu, como se estivesse tratando com pessoa de bom-senso:

— Sim, Malaquias, você reclama com razão, mas sua saúde não permite o regresso apressado. Você sabe que sua esposa, dona Sinhá, pediu fosse você aqui tratado convenientemente. Creio que ela deve estar muito tranquila a seu respeito. Suas ideias, porém, meu amigo, não estão ainda bem coordenadas. Temos alguma coisa mais a fazer. Por que se preocupar tanto assim com as terras e os escravos? Primeiramente a saúde, Malaquias; não esqueça a saúde!

O velho sorriu, como o doente apoiado na firmeza e no otimismo do médico.

— Reconheço que as suas observações são justas, mas meus filhos não se movem sem mim, são preguiçosos e necessitam da minha presença.

Mas, doutrinando sutilmente o pobre velhinho, o administrador objetou:

— Entretanto, donde vieram os filhos para os seus braços paternos? Não vieram das mãos de Deus?

— Sim, sim... — afirmava o ancião, trêmulo e satisfeito.

— Pois é isso, Malaquias, chegam instantes na vida em que precisamos devolver a Deus o que a Ele pertence. Além do mais, seus filhos são também responsáveis e, se forem ociosos, responderão pelos males que criarem em torno de si mesmos. Por agora, é indispensável que você se refaça, aclare as ideias e sossegue o coração.

O velho sorriu, confortado, mas, antes que pudesse falar de novo, um cavalheiro, denotando nobre aprumo, adiantou-se, exclamando: 21.3

— E a solução do meu processo, senhor Alfredo? Sinto-me prejudicado pelos parentes de má-fé. Minha parte na herança dos avós é cobiçada pelos primos. Segundo já lhe fiz ver, meu quinhão é superior aos demais. Soube, todavia, que o Visconde de Cairu interpôs toda a sua influência contra mim. Ninguém ignora tratar-se de um grande velhaco. Que não poderá ele fazer com as artimanhas políticas? Está mal informado a meu respeito. O senhor enviou meu pedido ao Imperador?

— Já expedi a mensagem — esclareceu Alfredo com carinho fraternal. — O Imperador certamente levará em conta a solicitação.

— Entretanto, a demora é muito grande!... — falou o cavalheiro, impaciente, como se estivesse diante de um subordinado vulgar.

— Mas, meu caro Aristarco — respondeu o administrador, muito calmo —, acredito que você está sendo experimentado para conhecer a grandeza da herança divina. Que valem os patrimônios terrestres, ante os patrimônios imperecíveis? Não pense no que tem perdido; medite nos bens sublimes que poderá alcançar diante da Vida eterna. Esqueça os primos ambiciosos e o Visconde que não o compreendeu. Terão eles de deixar quanto possuem, no campo transitório, a fim de prestarem contas à Divindade. Nunca pensou nisto?

Aristarco pareceu perder, por momentos, a inquietação, sorriu francamente e respondeu:

21.4 — É verdade! Os tratantes morrerão...

Uma senhora, mostrando-se aflita, pôs-se à nossa frente e interpelou altiva:

— Senhor Alfredo, peço-lhe não me retenha aqui. Meu marido é nosso próprio adversário. Prometeu perseguir as filhas, tão logo me ausentasse de casa. Aqui permanecendo, estou certa de que ele nos dissipará os bens, desmoralizar-nos-á o nome. Por favor, autorize o meu regresso. O coração me diz que as filhinhas estão desesperadas. Convenço-me, cada vez mais, de que a minha moléstia teve origem neste estado de coisas...

— Já sei, minha irmã — respondeu o nosso amigo com a mesma solicitude —; no entanto, que adiantaria regressar tão fortemente atormentada? Não será melhor curar-se, tranquilizar o espírito para ajudar as filhinhas com eficiência?

— Mas nem sequer sei onde estou — reclamou a pobre senhora, torcendo as mãos —; creio me tenham trazido ao fim do mundo, para tratamento de uma simples perda de sentidos!

— Todavia, ninguém a maltrata — disse o interlocutor, bondosamente — e seu caso não é tão simples como parece. Tenha calma. Os laços consanguíneos são edificantes, mas, acima deles, vibra a família universal. Há criaturas suportando fardos muito mais pesados que o seu. Aprenda, quanto esteja em suas possibilidades, a desfazer-se de aquisições passageiras, para ganhar os eternos bens.

A infeliz não sorriu como os outros. Fechando-se em sombria catadura, afastou-se pesadamente, olhos fulgurantes de cólera, como se a mente estivesse cravada muito longe, incapaz de qualquer compreensão.

Adiantaram-se outros enfermos, mas o administrador falou em voz alta:

— Não posso atender a todos no momento. Depois de amanhã, serão recebidos para explicações.

E, voltando-se para nós, esclareceu a sorrir: 21.5

— No círculo carnal, seriam todos absolutamente normais; no entanto, aqui, são verdadeiros loucos. São desencarnados que, por muito tempo, se agarraram aos problemas inferiores. Reclamam providências, sem falar no ensejo de iluminação que menosprezaram, acusam os outros, sem relacionarem os próprios erros. Procurei ouvi-los para lhes dar uma ideia do nosso trabalho, no setor dos que se desequilibram mentalmente por excesso de centralização em propósitos inferiores. Não é crime interessar-se alguém pelas atividades rurais, pela recepção de uma herança, pelo bem-estar da família; mas, no fundo, o velhinho que reclama terras e escravos nunca pensou senão em tirania no campo; o cavalheiro que aguarda a herança deseja lesar os primos; e a senhora que se revelou tão interessada pelo ambiente doméstico desencarnou quando pretendia envenenar o marido, às ocultas. Conheço-lhes os processos, um a um. Acordaram de longo sono, na inconsciência, e julgam-se ainda encarnados, supondo igualmente que podem dissimular as pretensões criminosas.

Eu estava assombrado. Expressando minha profunda admiração, perguntei:

— Esses doentes demoram-se aqui? Como alcançaram o Posto?

Gentil, como sempre, Alfredo respondeu:

— Foram recolhidos em pior estado. Já estiveram em pesado sono durante muito tempo e vão readquirindo a memória, gradativamente, até que possam ser encaminhados aos Institutos Magnéticos de Campo da Paz, a fim de receberem maiores auxílios e necessários esclarecimentos.

22
Os que dormem

Seguimos através de longas filas de arvoredo acolhedor, 22.1
rumo às vastas edificações que obedeciam a linhas arquitetônicas singulares.

Sem que eu pudesse explicar o fenômeno, as luzes diminuíam progressivamente. Que teria acontecido? Vicente e eu nos entreolhamos assustados. Alfredo, Aniceto e os demais, todavia, caminhavam sem surpresa. A serenidade deles tranquilizava-me o íntimo, embora o espanto insofreável.

Mais alguns passos, atingimos os pavilhões diferentes, que se estendiam em área superior a três quilômetros, pelos meus cálculos. Lá dentro, contudo, as sombras se fizeram mais densas. Conseguia distinguir, vagamente, os quadros interiores, observando que se tratava, a meu ver, de espaçosas enfermarias com teto sólido, mas semiabertas ao longo das paredes altas, dando livre passagem ao ar.

Dezenas de operários, devotados e operosos, seguiam-nos em absoluto silêncio.

22.2   Alfredo era o único a falar, notando-se, contudo, que se fizera extremamente discreto nas palavras.

Tudo isso me dava a impressão de haver penetrado um cemitério escuro, onde os visitantes fossem obrigados a guardar todo o respeito aos mortos.

Com estranheza, notei que um dos servidores entregara ao chefe do Posto pequenina máquina, que Alfredo nos deu a conhecer gentilmente, explicando:

— Este é o nosso aparelho de sinalização luminosa. Estamos no centro dos pavilhões a que se recolhem irmãos ainda adormecidos. Temos aqui, presentemente, quase dois mil.

Os numerosos cooperadores dirigiam-se em ordem para a zona de serviços que lhes competiam.

Depois de pequena pausa, falou o administrador com firmeza:

— Iniciemos o trabalho de assistência.

Ao primeiro sinal luminoso de Alfredo, acenderam-se numerosas lâmpadas elétricas e, então, dominando, a custo, a primeira impressão de horror, vi extensas filas de leitos ao rés do chão, ocupados todos por pessoas mergulhadas em profundo sono. Muitos tinham o semblante horrendo. Eram muito poucos os que traziam as pálpebras cerradas, parecendo tranquilos. Em quase todos, estampavam-se-lhes nos olhos, aparentemente vitrificados, o extremo pavor e o doloroso desespero da morte. Cadavérica palidez cobria-lhes a face.

Recordando a literatura antiga, pensei nos velhos túmulos egípcios. Tínhamos, diante de nós, centenas de múmias perfeitas. Raríssimos pareciam dormir um sono natural.

Aproximando-se de nós outros, Alfredo falou a Aniceto, em particular:

— Infelizmente, não podemos atender a todos.

— Por quê? — indagou nosso orientador, comovido.

— Estamos aguardando pessoal adestrado. Tenho aqui a 22.3 colaboração de 80 auxiliares para este gênero de serviço; entretanto, não pode cada qual atender a mais de cinco doentes de uma só vez. À vista disso, dos nossos 1.980 abrigados, separei os 400 mais suscetíveis de próximo despertar, a fim de submetê-los ao tratamento intensivo.

— E os demais?

— Recebem alimento e medicação mais densos uma vez por dia.

Aniceto calou-se, pensativo.

Profundamente tocado pelo que via, inclinei-me instintivamente para o abrigado mais próximo, tentando examinar-lhe o estado fisiológico. Identifiquei o calor orgânico, a pulsação regular e os movimentos respiratórios, embora verificasse a extrema rigidez dos membros, como que mergulhados em imobilidade cataléptica.

Indescritível impressão apoderou-se de mim. Levantei-me assustado, dirigi-me a Aniceto com a máxima discrição e interroguei:

— Explicai-me, por Deus! que vemos aqui? Estamos, acaso, na moradia da morte, depois da morte?

O instrutor sorriu complacente e explicou em voz quase imperceptível:

— Sim, André, este sono é, verdadeiramente, avançada imagem da morte. Aqui permanecem, com a bênção do abrigo, alguns milhões dos nossos irmãos que ainda dormem. São as criaturas que nunca se entregaram ao bem ativo e renovador, em torno de si, e mormente os que acreditaram convictamente na morte como o nada, o fim de tudo, o sono eterno. A crença na vida superior é atividade incessante da alma. A ferrugem ataca a enxada ociosa. O entorpecimento invade o Espírito vazio de ideal criador. Os que, nos círculos carnais, homens e mulheres, creem na vida eterna, ainda que não sejam fundamentalmente cristãos, estão desenvolvendo faculdades de movimentação espiritual e podem penetrar as esferas extraterrenas em estado animador, pelo menos quanto à locomoção e juízo mais ou menos exato. No entanto, as criaturas que perseveram em negação deliberada e absoluta, não obstante, por vezes, filiadas a cultos externos de atividade religiosa, que nada veem além da carne nem desejam qualquer conhecimento espiritual, são verdadeiramente infelizes. Muitos penetram nossas regiões de serviço, como embriões de vida, na câmara da Natureza sempre divina. Um amigo nosso costuma designá-los por fetos da espiritualidade; entretanto, a meu ver, seriam felizes se estivessem nessa condição inicial. Temos a certeza, porém, de que muitos se negaram ao contato da fé, absolutamente por indiferença criminosa aos desígnios do eterno Pai. Dormem, porque estão magnetizados pelas próprias concepções negativistas; permanecem paralíticos, porque preferiram a rigidez ao entendimento; mas dia virá em que deverão levantar-se e pagar os débitos contraídos. Eis por que os considero sofredores. Primeiramente, demoram no sono em que acreditaram; mais tarde, acordam; porém a maioria não pode fugir à enfermidade e à perturbação, como acontece aos irmãos dementados que vimos ainda há pouco.

22.4 Grande o meu assombro. Como Vicente se aproximasse, também, para ouvi-lo, falou Aniceto, esclarecendo a nós ambos:

— A fé sincera é ginástica do Espírito. Quem não a exercitar de algum modo, na Terra, preferindo deliberadamente a negação injustificável, encontrar-se-á mais tarde sem movimento. Semelhantes criaturas necessitam de sono, de profundo repouso, até que despertem para o exame das responsabilidades que a vida traduz.

Observando que o nosso orientador se esquivava a comentários longos, para que pudéssemos seguir, de mais perto, os trabalhos de assistência, calei as muitas indagações que me escaldavam a mente.

Com exceção de algumas senhoras que permaneciam junto de Ismália, todos os servidores se mantinham em posição de vigilância, ao pé dos grupos mumificados. A luz artificial iluminava os leitos, que se perdiam de vista, mas observei que nenhum dos albergados reagia à intensa claridade que se fizera. Continuavam rígidos, cadavéricos, prostrados.

Notei, então, que Alfredo começou a mover o aparelho de sinalização, para emitir as ordens de serviço. Cada sinal determinava operação diferente.

Vi os servidores do Posto distribuírem pequenas porções de alimento líquido e medicação bucal, em profundo silêncio. Em seguida, forneceram reduzidas quantidades de água efluviada[3] aos infelizes, com exceção, porém, de muitos que pareciam preparados a receber, tão somente, caldo e remédio. Dois terços dos quatrocentos abrigados em tratamento receberam passes magnéticos. Alguns poucos receberam aplicações do sopro curador.

Todos os movimentos do trabalho eram transmitidos pela sinalização luminosa, partida das mãos do administrador, que parecia interessado na manutenção do máximo silêncio. Impressionado com o que via, perguntei ao orientador, em voz baixa, a razão de alguns enfermos não terem sido beneficiados com a água e com o socorro de forças novas, por meio do passe e do sopro vivificante.

Aniceto, todo bondade, inclinou-se aos meus ouvidos, com a ternura de um pai ansioso por tranquilizar o filhinho inquieto, e falou:

— Cada um na vida, meu caro André, tem a necessidade que lhe é peculiar. Aqui, compreendemos com amplitude esse imperativo da Natureza.

---

[3] N.E.: A expressão "água efluviada" é equivalente ao que denominamos comumente de "água fluidificada".

23
Pesadelos

Enquanto Alfredo continuava dirigindo os serviços, nosso instrutor, com a permissão dele, conduzia-nos aos leitos distantes, nos quais se asilavam os enfermos desatendidos quanto ao auxílio magnético.

— Precisamos acentuar experiências e aproveitar oportunidades — afirmou Aniceto, sorridente.

Acompanhamo-lo, curiosos, identificando as expressões isoladas, dolorosas ou terríveis, daquelas máscaras mortuárias.

Quando nos encontrávamos a regular distância da zona central, o instrutor esclareceu em tom grave:

— Desejaria conhecer a extensão dos benefícios colhidos por vocês no Gabinete de Auxílio Magnético às Percepções. Para ajudar eficientemente os nossos amigos encarnados, é necessário saibamos ver com clareza e precisão.

Indicando os doentes imóveis, acrescentou:

— Todos os que dormem nestes pavilhões permanecem dentro do mau sono.

23.2 — Mas teremos, porventura, nas zonas espirituais, os que estejam em bom sono? — interrogou Vicente, de modo brusco.

— Sem dúvida — respondeu Aniceto, solícito —, temos na esfera de nossas atividades os que repousam períodos curtos, quais trabalhadores retos que esperam o repouso noturno, com a tranquilidade dos que sabem trabalhar e descansar, de consciência aliviada.

Fez uma pausa, como quem estudava o melhor meio de sintetizar, por não perder tempo, e acentuou:

— Mas esses não precisam estacionar, como filhos da sombra, nas construções de emergência de um Posto de Socorro.

Em seguida, retomou o fio da lição e continuou:

— Quem dorme em desequilíbrio entrega-se a pesadelos. Todos estes irmãos desventurados que nos cercam, aparentemente mortos, são presas de horríveis visões íntimas. Vejamos o aproveitamento de vocês. Procedamos a observações rápidas. Antigamente, o inquérito anatômico, o exame das vísceras, a perquirição científica nas células, também aparentemente mortas; agora, a auscultação profunda da alma, a sondagem dos sentimentos, a visão do plano mental.

E, com expressão decidida, concluiu resoluto:

— Mãos à obra!

Designando-me um corpo envelhecido de mulher, recomendou:

— Você, André, examine detidamente essa irmã. Abstenha-se de todas as considerações do plano exterior. Observe-a com todas as possibilidades e percepções ao seu alcance.

Sinceramente interessado em atender, não reparei nas ordens que o nosso instrutor transmitia a Vicente.

Procurei esquecer os quadros externos, focalizando aquela máscara feminina com todos os meus recursos mentais. À medida que me despreocupava dos interesses diferentes, observava

Os mensageiros | Capítulo 23

a sombra cinzento-escura que se lhe ia condensando em torno da fronte. A visão parecia auxiliar-me o poder de concentração. **23.3** Reconhecendo que o fenômeno se acentuava, não mais lembrei qualquer objeto ou situação exterior. Estupefato, comecei a divisar formas movimentadas no âmbito da pequena tela sombria. Surgiu uma casa modesta de cidade humilde. Tive a impressão de transpor-lhe a porta. Lá dentro, um quadro horrível e angustioso. Uma senhora de idade madura, demonstrando crueldade impassível no rosto, lutava com um homem embriagado. "Ana! Ana! Pelo amor de Deus, não me mates!", dizia ele, súplice, incapaz de defender-se. "Nunca! Nunca te perdoarei!", exclamava a mulher, acrescentando em tom lúgubre: "Morrerás esta noite". Vi o infeliz cair exausto. "Envenenaste-me com bebida mortal", exclamava ele, lacrimoso. "Perdoa-me se te causei algum mal! Sou pai, Ana, preciso viver para meus filhos! Não me mates, por piedade!". Ela ouviu com frieza e respondeu duramente: "Morrerás mesmo assim. Tenho a infelicidade de amar-te, a ti que pertences a outra mulher! Não quiseste seguir-me e preciso vingar-me!". Rebolcando-se no assoalho, tornava o infeliz: "Deus sabe que estou arrependido do meu criminoso passado! Quero viver para o bem, Ana! Perdoa-me por amor do eterno Pai! Quem sabe poderei auxiliar-te como irmão? Ajuda-me para que te possa ajudar! Não me mates! Não me mates!". A mulher, porém, como se tivesse a maldade agravada, ao ouvir a expressão da virtude, tomou de um pesado martelo e exclamou: "Deus não existe! Deus não existe! Morrerás, infame!". E, de súbito, crivou-lhe o crânio de marteladas surdas. O homem expirou sem um grito. Logo após, vi a criminosa conduzindo o cadáver em carrinho de mão, através de um trilho ermo. Acompanhava-lhe os movimentos com interesse. A noite estava muito escura, mas observei-a parada junto à via férrea. Sondou os arredores, certificou-se do insulamento em que se encontrava e depôs a estranha carga sobre os trilhos.

Vi-a dispondo o cadáver para que a cabeça fosse decepada à passagem do comboio, retirando-se apressadamente, reconduzindo o pequeno carro vazio. Não esperei a máquina de ferro. Segui a mulher, que me pareceu inquieta e pensativa. Antes, porém, que depusesse o carrinho no extenso quintal, vi que arregalava os olhos como louca, cercada de seres que me pareceram bandidos de negras vestes. Era ela, agora, quem acusava estranha embriaguez de pavor. Vencera um pobre homem invigilante, mas, a meu ver, seria vencida por seres mais perversos, talvez, que ela própria: "Acudam-me! acudam-me!", gritava espavorida. E continuava a cena, em que a desventurada golfava súplicas em vão.

23.4   Senti-me como espectador que precisasse movimentar qualquer socorro. E, graças à Bondade divina, não experimentei pela mulher infeliz senão a mais viva compaixão. Ao primeiro impulso de revolta pelo crime consumado, recordei as lições já recebidas em Nosso Lar e pensei na possibilidade de ser a criminosa alguma pessoa querida ao meu coração. Se Ana estivesse no mundo, ao meu lado, na família do sangue, não desejaria auxiliá-la? Por que haveria de acusá-la, se não lhe conhecia o passado total? Ter-lhe-iam dado a educação na infância, a bênção do lar, a segurança de um afeto sem manchas? Quem sabe viera de longe, como pedra incompreendida, rolando nos abismos do sofrimento? Que laços a uniriam à vítima, igualmente digna de piedade fraternal? Como teria começado o drama doloroso? Não sabia. Enxergava somente a pobre mulher rodeada de sombras agressivas, implorando socorro. Ignorava como ajudá-la, mas recordei que Ana era minha irmã, filha do mesmo Pai, irmã que adoecera no caminho comum, sem que eu pudesse, pelo menos por agora, indagar a causa. Procurava, comigo mesmo, algum meio de auxiliá-la, quando alguém me chamou de súbito.

Era Aniceto, que exclamava bondoso:

— Venha, André! Vicente e você têm sabido aproveitar **23.5** alguma coisa. Estou satisfeito. Seus pensamentos de fraternidade e paz muito auxiliaram essa irmã infeliz. Guarde a certeza disso e continue buscando a compreensão para socorrer e ajudar com êxito. Conforme observaram de perto, sabem agora que cada um dos que aqui dormem sono atormentado vivem estranhos pesadelos, de que não podem isentar-se de um instante para outro. Não precisamos comentar qualquer episódio dessas existências vividas em oposição à Vontade divina. Bastará lembrar sempre que a dívida, em toda parte, anda com os devedores.

E, com expressivo olhar, acrescentou:

— Voltemos ao centro. Devemos cooperar na oração.

24
A prece de Ismália

Dentro de poucos instantes, reuníamo-nos, de novo, 24.1
ao grupo.

O administrador fez um sinal luminoso, em forma triangular, e observei que todos os cooperadores se puseram de pé, em atitude respeitosa.

— É o momento da oração, no Posto de Socorro — disse Alfredo, gentil, como a prestar-nos esclarecimentos precisos.

O Sol desaparecera no firmamento, mas toda a cúpula celeste refletia-lhe o disco de ouro. Os tons crepusculares encheram as vizinhanças de maravilhosos efeitos de luz, muito visíveis agora ao nosso olhar, porque Alfredo, sem que eu pudesse conhecer o motivo, mandara apagar todas as luzes artificiais, antes da oração. No centro dos pavilhões, a sombra se fizera, desse modo, muito intensa, mas o novo aspecto do firmamento, banhado em tonalidades sublimes, dava-nos a impressão da permanência em prodigioso palácio, em virtude do imenso teto azul iluminado a distância.

24.2 Fundamente impressionado, procurei convizinhar-me mais do pequeno grupo de companheiros.

Do quadro de colaboradores do castelo, apenas algumas senhoras permaneciam junto de nós, como se estivessem fazendo honrosa companhia à nobre Ismália. Os demais, homens e mulheres, mantinham-se nos lugares de serviço que lhes competiam, não longe das criaturas mumificadas.

Notei que, embora instado, Aniceto esquivou-se à chefia espiritual da oração, alegando que, por direito, essa posição cabia à devotada esposa de Alfredo.

Ismália, então, num gesto de indefinível delicadeza, começou a orar, acompanhada por todos nós, em silêncio, salientando-se, porém, que lhe seguíamos a rogativa, frase por frase, atendendo a recomendações do nosso orientador, que aconselhou repetir, em pensamento, cada expressão, a fim de imprimir o máximo ritmo e harmonia ao verbo, ao som e à ideia, numa só vibração.

Senhor! — começou Ismália, comovidamente — *dignai--vos assistir os nossos humildes tutelados, enviando-nos a luz de vossas bênçãos santificantes. Aqui estamos, prontos para executar vossa vontade, sinceramente dispostos a secundar vossos altos desígnios. Conosco, Pai, reúnem-se os irmãos que ainda dormem, anestesiados pela negação espiritual a que se entregaram no mundo. Despertai-os, Senhor, se é de vossos desígnios sábios e misericordiosos, despertai-os do sono doloroso e infeliz. Acordai-os para a responsabilidade, para a noção dos deveres justos!... Magnânimo Rei, apiedai-vos de vossos súditos sofredores; Criador compassivo, levantai as vossas criaturas caídas; Pai justo, desculpai vossos filhos desventurados! Permiti caia o orvalho do vosso amor infinito sobre o nosso modesto Posto de Socorro!... Seja feita a vossa vontade acima da nossa, mas se é possível, Senhor, deixai que os nossos doentes recebam um raio vivificante do sol da vossa bondade!...*

A voz de Ismália penetrava-me o recesso do coração. 24.3
Observando-a, por um momento, reparei que a esposa de Alfredo se transfigurara. Luzes diamantinas irradiavam de todo o seu corpo, em particular do tórax, cujo âmago parecia conter misteriosa lâmpada acesa.

Em vista da ligeira pausa que imprimira à oração, observei a nós outros, verificando que o mesmo fenômeno se dava conosco, embora menos intensamente. Cada qual parecia, ali, apresentar uma expressão luminosa, gradativa. As senhoras que acompanhavam Ismália estavam quase semelhantes a ela, como se trajassem soberbos costumes radiosos, em que predominava a cor azul. Depois delas, em brilho, vinha a luz de Aniceto, de um lilás surpreendente. Em seguida, tínhamos Alfredo, cuja luz era de um verde suave e sugestivo, sem grande esplendor. Depois dele, vinham alguns servidores ostentando na fronte claridades sublimes, expressas em variadas cores, e, logo após, Vicente e eu mostrávamos fraca luminosidade, a qual, porém, nos enchia de júbilo intenso, considerando que a maioria dos cooperadores em serviço apresentava o corpo obscuro, como acontece na esfera carnal.

Com voz pausada e comovedora, Ismália prosseguiu:

Temos, ao nosso lado, Senhor, infortunadas mães que não souberam descobrir o sentido sublime da fé, resvalando, imprudentemente, nos despenhadeiros da indiferença criminosa; pais que não conseguiram ultrapassar a materialidade no curso da existência humana, incapazes de ver a formosa missão que lhes confiastes; cônjuges desventurados pela incompreensão de vossas leis augustas e generosas; jovens que se entregaram, de corpo e alma, aos alvitres da ilusão!... Muitos deles atolaram-se no pantanal do crime, agravando débitos dolorosos! Agora dormem, Pai, à espera de vossos desígnios santos. Sabemos, contudo, Senhor, que este sono não traduz repouso do pensamento... Quase todos os nossos asilados são vítimas de terríveis pesadelos, por terem olvidado, no mundo material, os vossos mandamentos de amor e sabedoria. Sob a imobilidade aparente, movimenta-se-lhes o Espírito, entre aflições angustiosas que, por vezes, não podemos sondar. São eles, Pai, vossos filhos transviados e nossos companheiros de luta, necessitados de vossa mão paternal para o caminho! Quase todos se desviaram da senda reta, pelas sugestões da ignorância que, como aranha gigantesca dos círculos carnais, tece os fios da miséria, enredando destinos e corações! Deprecando vossa misericórdia para eles, rogamos, igualmente para nós, a verdadeira noção da fraternidade universal! Ensinai-nos a transpor as fronteiras de separação para que vejamos em cada infeliz o irmão necessitado do nosso entendimento! Ajudai-nos a compreensão, a fim de que venhamos a perder todo impulso de acusação nas estradas da vida! Ensinai-nos a amar como Jesus nos amou! Também nós, Senhor, que aqui vos rogamos, fomos leprosos espirituais, cegos do entendimento, paralíticos da vontade, filhos pródigos do vosso amor!... Também nós já dormimos, em tempos idos, nos Postos de Socorro da vossa misericórdia!... Somos simples devedores, ansiosos de resgatar imensos débitos! Sabemos que vossa bondade nunca falha e esperamos confiantes a bênção de vida e luz!...

24.4   Fizera Ismália nova pausa, agora mais longa. Enxuguei os olhos umedecidos de pranto. Suave calor, todavia, apossava-se-me da alma. E tão intensa era essa nova sensação de conforto, que interrompi a concentração em mim mesmo, a fim de olhar em torno. Fixando instintivamente o alto, enxerguei, maravilhado, grande quantidade de flocos esbranquiçados, de tamanhos variadíssimos, a caírem copiosamente sobre nós que orávamos, exceto sobre os que dormiam. Tive a impressão de que eram derramados do céu sobre nossa fronte, caindo com a mesma abundância sobre todos, desde Ismália ao último dos servidores. Não cabia em mim de admiração, quando novo fenômeno me surpreendeu. Os flocos leves desapareciam ao tocar-nos, começando, porém, a sair de nossa fronte e do peito grandes bolhas luminosas, com a coloração da claridade de que estávamos revestidos, elevando-se no ar e atingindo as múmias numerosas. Ainda aí, reparava o problema da gradação espiritual. As luzes emitidas por Ismália eram mais brilhantes, intensas e rápidas, alcançando muitos enfermos de uma só vez. Em seguida, vinham as fornecidas pelas senhoras do seu círculo pessoal. Depois, tínhamos as de Aniceto, de Alfredo e dos demais. Os servos de corpo obscuro emitiam vibrações fracas, mas visivelmente luminosas. Cada qual, naquele instante de contato com o plano superior, revelava o valor próprio na cooperação que podia prestar.

Observando-me o assombro, Aniceto falou-me aos ouvidos: **24.5**

— Na prece encontramos a produção avançada de elementos-força. Eles chegam da Providência em quantidade igual para todos os que se deem ao trabalho divino da intercessão, mas cada Espírito tem uma capacidade diferente para receber. Essa capacidade é a conquista individual para o mais alto. E como Deus socorre o homem pelo homem e atende a alma pela alma, cada um de nós somente poderá auxiliar os semelhantes e colaborar com o Senhor com as qualidades de elevação já conquistadas na vida.

25
Efeitos da oração

As luzes da prece inundaram o vasto recinto. Palpitava em tudo, agora, uma claridade serena, doce, irradiante, muito diversa da luminosidade artificial. Os flocos radiosos que partiam de nós multiplicavam-se no ar, como se obedecessem a misterioso processo de segmentação, e caíam sempre sobre os corpos inanimados e enrijecidos, dando a impressão de lhes penetrarem as células mais íntimas. 25.1

Eu estava boquiaberto. Não me fora permitido contemplar fenômenos dessa natureza em Nosso Lar. Aliás, concluía, ainda não recebera auxílio magnético às percepções, senão poucas horas antes da viagem.

A claridade crescia e estendia-se em espetáculo prodigioso.

Agora, porém, abandonáramos a atitude de recolhimento destinada à concentração de nossas próprias forças e emissão de energias vibratórias. Nossos corpos, todavia, continuavam envolvidos em vasto círculo irradiante. Prosseguindo, porém, o grande silêncio, notei que a luz da oração se fazia mais clara, mais penetrante. Comecei a ver, como no caso de Ana, que todos aqueles esqueletos misérrimos apresentavam núcleos de sombra, além das máscaras mortuárias, núcleos que se mostravam dentro de formas variadíssimas.

25.2   As bolhas luminosas caíam incessantemente, mas agora, como se fossem dirigidas por uma vontade inteligente, concentravam-se quase todas sobre as frontes imóveis. Então, pude observar o inaudito e inconcebível para mim.

As múmias, porque não posso dar outro nome aos irmãos que dormem, começaram a dar sinais de vida. Alguns daqueles infelizes deixavam escapar gemidos angustiosos, outros falavam em voz alta, dando conta dos pesadelos que os atormentavam, como sonâmbulos prestes a despertar. Muitos moviam os pés e as mãos, como a se esforçarem por fugir ao sono doloroso.

Eminentemente surpreendido, reparei que dois se levantaram, distante de nós. Recordei que ambos faziam parte daqueles que haviam recebido toda espécie de assistência, inclusive o sopro curativo. Olharam-nos de longe, como loucos que acordassem de súbito, e dispararam a correr, espavoridos, não obstante a impressão de cadáveres ambulantes, que nos causavam.

Admirado, verifiquei que ninguém esboçou a menor disposição de segui-los. E quando me propunha, instintivamente, a fazê-lo, Alfredo deteve-me, exclamando:

— Não se preocupe. Eles seriam amargamente surpreendidos se fossem notificados agora de sua permanência longa entre verdadeiras múmias. Acreditam sonhar e é melhor assim. Não poderão fugir às nossas fortificações e voltarão a pedir socorro noutras dependências, a que serão recolhidos para adequado tratamento.

Continuamos silenciosos mais alguns minutos, e notei que as luzes se foram apagando gradativamente, ao passo que os cadáveres retomavam a imobilidade anterior.

Ismália declarou terminadas as nossas atividades da oração, 25.3
e o administrador, após o sinal luminoso, que notificava aos operários o término das obrigações, adiantou-se para nós, exclamando:

— Gratíssimo pelo concurso fraternal. Realizamos belo serviço intercessório. Desde alguns dias, ninguém se levantava.

Aniceto, percebendo-nos a perplexidade, falou a Vicente e a mim, de maneira significativa:

— Conforme viram, o trabalho da prece é mais importante do que se pode imaginar no círculo dos encarnados. Não há prece sem resposta. E a oração, filha do amor, não é apenas súplica. É comunhão entre o Criador e a criatura, constituindo, assim, o mais poderoso influxo magnético que conhecemos. Acresce notar, porém, já que comentamos o assunto, que a rogativa maléfica conta, igualmente, com enorme potencial de influenciação. Toda vez que o Espírito se coloca nessa atitude mental, estabelece um laço de correspondência entre ele e o Além. Se a oração traduz atividade no bem divino, venha donde vier, encaminhar-se-á para o Além em sentido vertical, buscando as bênçãos da vida superior, cumprindo-nos advertir que os maus respondem aos maus nos planos inferiores, entrelaçando-se mentalmente uns com os outros. É razoável, porém, destacar que toda prece impessoal dirigida às Forças Supremas do Bem, delas recebe resposta imediata, em nome de Deus. Sobre os que oram nessas tarefas benditas, fluem, das esferas mais altas, os elementos-força que vitalizam nosso mundo interior, edificando-nos as esperanças divinas, e se exteriorizam, em seguida, contagiados de nosso magnetismo pessoal, no intenso desejo de servir com o Senhor.

E, procurando materializar o pensamento, para facilitar-nos a compreensão, acentuou:

— Viram, vocês, cair sobre nós os elementos a que me refiro, e observaram a sua exteriorização com as luzes de cada um de nós, em benefício dos irmãos que dormem e sofrem.

Concedeu-nos o Altíssimo a força de auxiliar, em porções iguais para todos, mas nós a espalhamos de acordo com a nossa possibilidade e coloração individuais. Ismália, cujos sentimentos são mais amplos e universalistas que os nossos, pôde receber com mais clareza o auxílio divino e distribuí-lo com mais abundância e eficiência. Temos, aqui, uma profunda lição. Como já disse, o Pai visita os filhos necessitados, por intermédio dos filhos que procuram compreendê-lo. Não poderíamos abusar do Senhor, como abusamos no círculo terrestre dos nossos pais humanos. Não vive Ele ao sabor de nossos caprichos pessoais. Nunca poderia vir, em pessoa, enxugar o pranto do necessitado que chora, em consequência, aliás, do olvido das divinas Leis. Compete ao necessitado caminhar ao reencontro dele. O Senhor, todavia, atende sempre a todos os homens de boa vontade, por intermédio dos homens bons, que se edificam na casa divina. Todos os nossos desejos e impulsos razoáveis são atendidos pelas bênçãos paternais do Eterno. Ainda que nos demoremos nas lágrimas e nas aflições, jamais permanecemos ao desamparo. Apenas devemos salientar que as respostas de Deus vão sendo maiores e mais diretas, à medida que se intensifique o nosso merecimento, competindo-nos reconhecer que, para semelhantes respostas, são utilizados todos quantos trazem consigo a luz da bondade, ou já possuem mérito e confiança para auxiliar em nome de Deus.

25.4 As explicações de Aniceto abriam-me novos campos de meditação. O esclarecido instrutor, contudo, não dera por finda a lição e, depois de longa pausa, concluiu:

— Já que vocês se encontram comigo num curso de serviço auxiliador, espero aproveitem o máximo ensinamento desta hora. Reparem que, nestes pavilhões, temos 1.980 abrigados que dormem. Todos recebem diariamente alimento e medicação comuns, mas só quatrocentos são atendidos com alimento e medicação especializados, por se mostrarem mais suscetíveis de justa

melhora. Desses quatrocentos, apenas dois terços se revelaram 25.5
aptos à recepção de passes magnéticos. Muitos não podem receber, por enquanto, a água efluviada. Poucos foram contemplados com o sopro curativo e somente dois se levantaram, ainda assim, profundamente perturbados. Já que iniciam um trabalho de cooperação fraternal, não esqueçam esta lição. Façamos todos o bem, sem qualquer ansiedade. Sememo-lo sempre e em toda a parte, mas não estacionemos na exigência de resultados. O lavrador pode espalhar as sementes à vontade e onde quer que esteja, mas precisa reconhecer que a germinação, o crescimento e o resultado pertencem a Deus.

26
Ouvindo servidores

Notei que o trabalho no Posto se desenvolvia em ambiente 26.1
da mais bela camaradagem, não obstante o respeito natural às noções de hierarquia.

Enquanto palestrávamos animadamente, Ismália recebia servidoras numerosas, em atitude verdadeiramente maternal, embora muitas mostrassem o rosto envelhecido, parecendo avós da esposa do administrador. Aniceto nos ministrava lições de vulto, extraídas de circunstâncias aparentemente inexpressivas, e Alfredo recebia os colaboradores de todas as condições, não só com espírito de solidariedade, mas também de imenso afeto. Ria-se carinhosamente ou fornecia pareceres, sem o mínimo gesto de impaciência ou irritação.

Aquele clima de concórdia fazia-me enorme bem. Tudo respirava ordem e compreensão, bondade e harmonia. A atitude paterna do administrador do Posto de Socorro, expressa em energia e amizade, organização e entendimento, atraía-me com força.

26.2   Pedi permissão ao nosso orientador para ouvir os esclarecimentos prestados àqueles numerosos cooperadores.

Aproximei-me impressionado.

Nesse momento, um colaborador de maneiras simpáticas dirigia-lhe a palavra, com grande interesse. Tratava-se de um velhinho de humilde expressão, que lhe falava com mostras de justo respeito.

— E o senhor recebeu as notícias?

— Sim, Alonso — atendia o chefe, sem afetação —, nossos mensageiros cientificaram-me dos detalhes mínimos. Sua viúva continua muitíssimo acabrunhada, os filhinhos gozam saúde, mas permanecem na mesma ansiedade por motivo de sua ausência.

O velho, que parecia muito bondoso, esboçou um gesto de confirmação e acrescentou:

— Tenho sentido tanta falta deles!

Nos olhos transparecia a tristeza resignada de quem deseja alguma coisa, medindo a extensão dos obstáculos.

— Você, porém, Alonso — continuou Alfredo, comovido —, não deve angustiar-se. Sei que está trabalhando agora pelo futuro da família. Na Terra, na qualidade de pais, conseguimos movimentar muitas providências a favor dos filhos; entretanto, aqui, podemos realizar certas medidas em benefício deles, com maior segurança. Nem sempre agimos no mundo com a necessária visão, mas aqui é possível sentir, de mais perto, os interesses imperecíveis daqueles que amamos. O sentimento elevado é sempre um caminho reto para nossa alma; todavia, não podemos dizer o mesmo a respeito do sentimentalismo cultivado no círculo da crosta. É preciso que você tenha muito cuidado em não desorganizar a mente. A saudade que fere, impedindo-nos atender à Vontade divina, não é louvável nem útil. É enfermidade do coração, precipitando-nos em abismos insondáveis do pensamento.

Alonso deixou de sorrir, mostrou os olhos rasos d'água e falou em voz súplice:

— Reconheço, senhor Alfredo, a oportunidade de suas ob- 26.3
servações. Graças a Jesus, venho melhorando minha vida mental, nos deveres novos que me concedeu e, de fato, sinto-me renovado espiritualmente. Sei que sua palavra não me advertiria sem razão, mas ousaria pedir licença para visitar a esposa e os filhos. À noite, quando me concentro nas preces habituais, sinto, em torno de mim, os seus pensamentos. Esses pensamentos me penetram fundo, atraindo-me toda a atenção para a Terra. Às vezes, consigo repousar um pouco, mas com muita dificuldade. Sei que a esposa e os filhos estão chamando, dolorosamente, por mim. Esta certeza me perturba de algum modo. Não tenho sentido a mesma firmeza para o trabalho diário e desejaria remediar a situação. Reconheço que minhas obrigações, presentemente, são outras e que devo estar conformado; no entanto, confesso que minha luta espiritual tem sido bem grande. Estou certo de que me perdoará a fraqueza. Que chefe de família não se sentiria atormentado, ouvindo angustiosos apelos do lar, sem meios de atender, como se faz indispensável?

E, revelando o enorme anseio da alma, enxugou os olhos e prosseguiu:

— Quisera rogar aos meus calma e coragem, esclarecendo que meu coração ainda é frágil e necessita do amparo deles; estimaria pedir-lhes esse auxílio para que eu possa atender às atuais obrigações, sem desfalecimentos. Quem sabe me concederá, agora, a permissão precisa? Temos bem perto de nossa casa um grupo de amigos espiritistas, talvez não me fosse difícil transmitir algumas palavras, breves que fossem, tentando tranquilizar a esposa e os filhos!...

Alfredo, imperturbável, não respondeu negativamente. Parecia compreender toda a inquietação do servidor simpático e humilde. Observei-lhe no olhar, muito lúcido, o desejo sincero de atender, e, com extrema simpatia por sua conduta generosa, ouvi-o ponderar:

26.4 — Não será impossível satisfazê-lo, meu caro Alonso! Nossos emissários poderão conduzi-lo, nas viagens comuns; entretanto, creia que, como amigo, ficaria preocupado com você, pela manutenção de sua paz. Não posso abusar da autoridade e sei que cada um tem a experiência que lhe cabe, mas creio seja de seu vital interesse o fortalecimento do coração. É imprescindível conformarmo-nos com os desígnios do Eterno. Você e sua mulher não ficariam separados se não necessitassem de experiências novas. As dificuldades que ela vem amargando com a sua ausência, sofre-as também você com a separação dela. Tenho a impressão, Alonso, de que Deus nos deixa sozinhos, por vezes, a fim de refazermos o aprendizado, melhorando o coração. A soledade, porém, quando aproveitada pela alma, precede o sublime reencontro. Além disso, você não deve ignorar que os filhos pertencem a Deus, que cada um deles precisa definir responsabilidades e cogitar da própria realização. Por enquanto, vivem chorosos, desalentados. A revolta lhes visita a alma invigilante. Estabeleceu-se a desordem doméstica, depois da sua vinda. Entretanto, que fazer senão pedir para eles e para nós a bênção do Eterno? Precisam eles da conformação com a realidade justa, e você, que já lhes deu o que era razoável, necessita, igualmente, evoluir e aperfeiçoar-se na senda nova a que fomos chamados. Em que ficaria, meu caro, se permitisse a invasão total do sentimentalismo doentio em seus pensamentos? Tão dedicado é você à família do sangue, que, por agora, não o sinto com bastante preparo a tudo ver no antigo lar, sem sofrer desastrosamente. Há tempos, autorizei a visita de dois colegas nossos à esfera da Crosta, a fim de reverem as viúvas e abraçarem de novo os filhinhos, mas foram tão violentamente surpreendidos pela situação, que não puderam voltar aos seus deveres aqui, lá ficando agarrados ao ninho que haviam abandonado. Não vigiaram o coração, convenientemente. Ouviram, em demasia, o pranto dos familiares terrestres, envolveram-se nos pesados fluidos do clima doméstico e, passada a semana de licença, não conseguiram erguer-se para o regresso. Estavam como pássaros aprisionados pelo visgo das tentações. Os encarregados do noticiário particular voltaram ao Posto sem eles, com grande surpresa para mim. E, francamente, não sei quando poderão reassumir as funções que lhes cabem. O prejuízo de ambos é muito grande.

Depois de pequena pausa, Alfredo rematou: **26.5**

— Os voos de grande altura pedem asas fortes.

Alonso, que ouvia de olhos arregalados, considerou resignado:

— Desisto do pedido. O senhor tem razão.

O administrador abraçou-o e murmurou:

— Deus ilumine o seu entendimento.

Admiradíssimo, reparei que outros colaboradores se aproximavam, rogando esclarecimentos, pareceres, edificando-me no exemplo do administrador amigo, que respondia em voz firme e afetuosa, demonstrando interesse de irmão.

27
O caluniador

Enquanto o administrador se entregava a conversações **27.1**
educativas com os numerosos subordinados, Aniceto chamou-
-nos a pequena construção isolada e falou:
— Vejamos outro ensinamento.
Avançamos na direção de algumas câmaras separadas.
Nosso instrutor abriu uma porta e vimos um louco, que parecia fundamente irritado. Fixou em nós o olhar inexpressivo e gritou estentoricamente. Aniceto, porém, adiantou-se e cumprimentou-o atencioso:
— Como vai, Paulo?
As palavras, ao que senti, emitiram certo fluxo magnético e o enfermo revelou profunda modificação. Aquietou-se de súbito. Sentou-se mais calmo, embora trêmulo e espantadiço.
— Tem sentido melhoras, Paulo? — perguntou nosso orientador, bondosamente, tocando-o no ombro.
Ao contato pessoal de Aniceto, o doente mostrou algum raciocínio e respondeu:

27.2 — Vou melhorando, graças...

À vista da expressão reticenciosa, o instrutor falou em tom firme, como se desejasse auxiliar-lhe a vontade enfraquecida:

— Termine!

O doente fez enorme esforço e concluiu:

— Gra...ças... a... Deus.

Anotando-lhe o sofrimento e a indecisão, lembrei-me dos enfermos das Câmaras, aos quais prestava Narcisa ampla colaboração afetuosa. Percebendo-me as íntimas considerações, disse o mentor esclarecido:

— Veem a diferença entre os que dormem, os que estão loucos e os que sofrem? Em Nosso Lar, não temos dos primeiros, e os que se encontram desequilibrados, nos serviços da Regeneração, sentem, na maioria, angústias cruéis. É necessário reconheçamos que os que gemem e sofrem, em qualquer parte, estão melhorando. Toda lágrima sincera é bendito sintoma de renovação. Os escarnecedores, os ironistas e os perturbados que não registram a dor são mais dignos de piedade, por permanecerem embotados em estranha rigidez de entendimento.

E, designando o enfermo sob nossos olhos, afirmou:

— Paulo é um doente a caminho de melhora positiva. Ainda não possui a consciência exata da situação, mas já chora, já padece com as recordações do passado triste.

Recebi o esclarecimento com atenção. Lembrei que, de fato, os doentes conduzidos pelos Samaritanos a Nosso Lar, em serviço diário, eram grandes sofredores. Os que não acusavam padecimentos atrozes revelavam estranho pavor das sombras. A única entidade que ali observara, com absoluta inconsciência da própria miséria, fora a de pobre vampiro que não encontrara guarida nas Câmaras de Retificação.

Nosso instrutor, sem qualquer preocupação de transformar o doente em cobaia, recomendou afetuoso:

Os mensageiros | Capítulo 27

— Concentrem no Paulo a capacidade de visão!   **27.3**
Estimulado pela experiência anterior, fixei nele todo o meu potencial de observação.

Aos poucos, caracterizou-se a meus olhos a sua tela mental, parecendo formada em compacta sombra noturna. Com surpresa, divisei formas diversas que se movimentavam. Vários vultos de mulher ali surgiam, despertando-me enorme admiração. Entre eles, reparei o de Ismália como que doente, enfraquecida, ansiosa. Alguns homens passavam, igualmente, mostrando desesperação, e notei, nessas imagens, o próprio Alfredo a evidenciar cansaço e extrema velhice prematura. Vozes misteriosas se faziam ouvir. Sobre Paulo choviam maldições e blasfêmias. As mulheres pareciam acusá-lo clamorosamente; os homens davam ideia de perseguidores ferozes, ocultos no mundo interior daquele enfermo estranho. Observando, porém, que os vultos de Ismália e Alfredo se movimentavam naquele painel escuro, não pude sofrear a curiosidade e interrompi o minucioso exame, voltando a conversar com o nosso orientador, perguntando:

— Como explicar o fenômeno? Estou assombrado!

Antes, porém, que pudesse expressar maiormente o espanto que me dominara, Aniceto ajuntou:

— Já sei. Admira-se da presença de Ismália e do seu marido nas reminiscências do enfermo.

E, ante a minha perplexidade, continuou:

— Lembram-se da história de Alfredo? Temos diante de nós o falso amigo que lhe arruinou o lar. Paulo, contudo, não somente cometeu a ingratidão, como envenenou o espírito doutras senhoras, traiu outros amigos e destruiu a alegria e a paz doutros santuários domésticos. Observando Ismália aflita e Alfredo desesperado, nas recordações dele, vemos as imagens criadas pelo caluniador, para seus próprios olhos. Nossos amigos deste Posto evolutiram, transpuseram a fronteira da mágoa, escaparam aos monstros do ódio, vestem-se hoje de luz; no entanto, Paulo os vê como imagina, para escarmento de suas culpas. O criminoso nunca consegue fugir da verdadeira justiça universal, porque carrega o crime cometido, em qualquer parte. Tanto nos círculos carnais, como aqui, a paisagem real do Espírito é a do campo interior. Viveremos, de fato, com as criações mais íntimas de nossa alma.

27.4 Reparando-me a dificuldade para compreender de pronto, Aniceto prosseguiu, depois de pequeno intervalo:

— Para melhor elucidação, recordemos a crucificação do Mestre divino. Sabemos que Jesus penetrou na glória sublime logo após a suprema dor do Calvário; entretanto, estamos ainda a vê-lo frequentemente pendurado na cruz, martirizado pelos nossos erros, flagelado pelos nossos açoites, porque a visão interior a isso nos compele. A condenação do Mestre foi um crime coletivo, e esse crime estará conosco até ao dia em que nos vestirmos na divina luz da redenção.

O esclarecimento não poderia ser mais lúcido. Sentia-me diante de nobre revelação.

— O dever possui as bênçãos da confiança, mas a dívida tem os fantasmas da cobrança — tornou o generoso mentor, com grave acento.

Readquirindo a serenidade, interroguei:

— Mas Paulo veio ter casualmente a este Posto?

— Não — respondeu Aniceto, atencioso —; foi trazido pelo próprio Alfredo, que se sentiu necessitado de disciplinar o coração. Nosso amigo, que hoje dirige esta casa de amor, desprendeu-se do mundo, sob intensa vibração de ódio e desesperação. Sofreu muitíssimo nos primeiros tempos, embora nunca fosse abandonado pela dedicação da abnegada companheira. Alfredo, todavia, não pôde ver Ismália enquanto não se desvencilhou das baixas manifestações do rancor. Socorrido em Campo da Paz, compreendeu as próprias necessidades. Tão logo adquiriu algum mérito, intercedeu pelo amigo infiel, buscou-o em recanto abismal, e tão nobremente se dedicou ao aperfeiçoamento de si mesmo, que conquistou a posição de administrador de um Posto de Socorro. Trouxe o tutelado em sua companhia e trata-o como irmão, atualmente. Não julguem que o marido de Ismália conseguiu essa vitória espiritual tão somente pelo fato de desejá-la. Ele desejou-a, procurou-a, alimentou-a, e, agora, permanece na realização. Há muitos anos conversa com Paulo, diariamente. Nos primeiros tempos, aproximava-se do enfermo, como necessitado de reconciliação; depois, como pessoa caridosa; mais tarde adquiriu entendimento, comparando situações; em seguida, sentiu piedade; logo após, experimentou simpatia e, presentemente, conquistou a verdadeira fraternidade, o amor sublime de irmão pelo ex-inimigo.

Fazendo pequena pausa, voltou a dizer espirituosamente: **27.5**

— Como veem, o ensinamento de Jesus, quanto ao "batei e abrir-se-vos-á", é muito extenso. No plano da carne, insistimos à porta das coisas exteriores, procurando facilidades e vantagens; mas, aqui, temos de bater à porta de nós mesmos, para encontrar a virtude e a verdadeira iluminação.

Vicente, que até então se conservara calado, indagou:

— Paulo, todavia, permanecerá aqui, indefinidamente?

Nosso instrutor fez um gesto significativo e concluiu:

— Voltará breve à Terra. Ismália tem feito a seu favor inúmeras intercessões e não deseja que ele, ao retomar a razão plena, se sinta humilhado, com o benefício das próprias vítimas. Uma das irmãs, por ele caluniada no mundo, já voltou ao círculo carnal, e a abnegada esposa de Alfredo pediu-lhe que recebesse Paulo como filho, tão logo seja oportuno.

28
Vida social

À noite, surpreendiam-me os sublimes aspectos do firmamento no Posto de Socorro. O luar safirino envolvia todas as coisas. O céu era qual infinita colcha de azul muito límpido, pontilhado de astros fulgurantes. As nuvens da tarde haviam desaparecido. 28.1

Contemplando a beleza da noite, Alfredo acentuou:

— Felizmente, os fenômenos magnéticos foram deslocados do nosso círculo. Os aparelhos, porém, continuam registrando enorme conflito de forças inferiores.

Ia comentar a beleza do céu, ante a observação do administrador, quando a campainha retiniu suavemente.

Chamavam à entrada. Alfredo e Ismália sorriram.

Muito gentil, o chefe do Posto asseverou:

— Temos a visita de amigos do Campo da Paz.

E, convidando-nos à recepção no baluarte avançado, acrescentou jovialmente:

— Temos, também, aqui, a nossa vida social. Como não? É preciso saber viver.

28.2   Encantado com essa nota alegre, acompanhei os donos da casa, verificando, com indizível surpresa, que tínhamos sob os olhos um belo carro tirado por dois soberbos cavalos brancos. Tratava-se de veículo confortável e interessante, quase idêntico aos velhos carros de serviço público, do tempo de Luís XV, que eu vira, mais de uma vez, em publicações antigas. Nele chegara pequena família da colônia próxima, que, pelas informações de Aniceto, demorava a três léguas do Posto, aproximadamente.

Alfredo apresentou-nos, cavalheirescamente, com exceção de nosso orientador, que era velho amigo dos recém-chegados.

Constituíam-se os visitantes do casal Bacelar e duas filhas jovens. O chefe do grupo mostrava idade avançada, revelando, porém, excelentes disposições. A senhora dava impressão de madureza, aparentando, contudo, maravilhosa vivacidade, assim como as duas moças.

A alegria era enorme. Não se observava qualquer nota de convencionalismo menos digno, como na Terra. Os gestos de cada um, a simplicidade, a despreocupação e as frases afetuosas demonstravam sinceridade pura. Permanecíamos num quadro social inacessível ao fingimento.

Voltando ao interior doméstico, entre grandes manifestações de júbilo familiar, observei que os recém-chegados eram amigos de muito tempo, que vinham ao encontro de Ismália. A nobre senhora pareceu-me contentíssima. Expediu recados afetuosos para algumas famílias do Posto e, em breves minutos, o castelo recebia inúmeras pessoas que concorriam ao brilhantismo da seleta reunião.

Sentindo-me assaz insignificante, ao lado dos novos amigos, limitava-me a ouvir e observar.

Logo aos primeiros instantes de conversação particularizada, ouvi Aniceto perguntar ao senhor Bacelar:

— Como corre o serviço?

O velho bondoso respondeu num sorriso largo: **28.3**
— Bem, sempre bem. Apenas não podemos fixar demasiada atenção nos companheiros encarnados.

E ajuntou com graça:

— É indispensável aprender a servir e passar.

Nosso instrutor sorriu igualmente e observou:

— Compreendo, compreendo. Aliás, o progresso humano não é uma questão de dias. Não tenhamos ilusões.

E, percebendo que Vicente e eu poderíamos aproveitar com a palestra, Aniceto indicou o novo hóspede de Alfredo, explicando solícito:

— Nosso amigo Bacelar é chefe de turmas de assistência aos nossos irmãos do círculo carnal. Tem longa experiência dos homens e conhece-os como ninguém. Há muito que aproveitar nas suas observações.

— Não tanto, meus caros — exclamou o senhor Bacelar, de bom humor —, não tanto. Sou simples companheiro de vocês, cumprindo deveres por acréscimo da misericórdia divina. Não posso fazer muito, em razão de minhas deficiências naturais.

— Estamos certos do grande proveito da sua palavra — objetou Vicente, até então calado.

— Tudo o que nos disser sobre o problema de assistência constituirá, para nós, ensinamento precioso — disse por minha vez.

O novo amigo fitou-nos com inteligência e perguntou:

— Foram médicos no mundo?

— Sim — respondemos a um só tempo.

O senhor Bacelar pensou alguns momentos e acentuou:

— Sempre gostei de conversar com os amigos, recorrendo aos símbolos sugeridos pela profissão que exercem. Mas, no tocante às minhas atividades, não teria muito o que dizer a médicos militantes.

— Pelo contrário — aduzi —, seus esclarecimentos enriquecerão nossas experiências.

28.4   O interlocutor sorriu, otimista, e declarou:

— Não creia. Recorde os seus doentes comuns. Muito raramente lembram a medicina preventiva. De modo quase invariável, esperam a positivação das moléstias para buscarem o recurso preciso. Necessitam de anestésicos para o socorro do bisturi. Fogem ao regímen tão logo surja a primeira melhora. Confundem o método de tratamento, apenas se registre o primeiro sinal de cura. Detestam a dor que restabelece o equilíbrio. Descontentam-se com a indicação de purgativos. Preferem a medicação de sabor agradável. E, sobretudo, quase sempre querem saber muito mais que os médicos. Esta síntese aplicável a corpos doentes representa, em nosso campo de serviço, o resumo do programa de assistência aos Espíritos enfermos, encarnados na Terra, e com agravantes de vulto, porque, em nosso setor, não podemos manipular a alma, à maneira do cirurgião que opera as amígdalas. Somos forçados à preparação do campo mental conveniente, a proceder à semeadura de pensamentos novos, velar pela germinação, ajudar os rebentos minúsculos e aguardar a obra do tempo. Nossa luta não é simples, porque, se o clínico do mundo encontra sempre familiares amorosos, dispostos a cooperar com ele em benefício do doente, o que encontramos, por nossa vez, são enormes legiões de elementos adversos à nossa atividade restauradora e curativa. Em geral, o médico do mundo presta socorro a quem deseja recebê-lo, pelo menos nas ocasiões de graves perigos; nós, porém, meus amigos, muitas vezes temos de prestar assistência aos que não a desejam, por viverem sob véus de profunda ignorância.

— Tem razão — murmurei, ouvindo comparações tão lógicas —; entretanto, vale por conforto a certeza de que há muitos cooperadores encarnados no mundo prontos a colaborar na tarefa.

O senhor Bacelar teve uma expressão fisionômica muito significativa e revelou:

— Nem sempre. A cooperação é outro problema. A maioria dos irmãos que se propõe ao serviço parte daqui prometendo, mas gosta de viver descansada no planeta. Poucos fogem ao estalão comum. Raramente encontramos companheiros encarnados com bastante disposição para amar o trabalho pelo trabalho, sem ideia de recompensa. A maioria está procurando remuneração imediata. Nessas condições, não percebem que a mente lhes fica como aposento escuro, atulhado de elementos inúteis. À força de viciarem raciocínios, confundem igualmente a visão. Enxergam tormentas onde há paisagens celestes, montanhas de pedra onde o caminho é gloriosa elevação. De pequenos enganos a pequenos enganos, formam o continente das grandes fantasias. Daí por diante, a recapitulação das experiências terrenas inclina-os, mais fortemente, para a exigência animal e, chegados a esse ponto, raros voltam ao dever sagrado, para considerar a grandeza das divinas bênçãos.

Nosso interlocutor fez uma pausa e tornou: **28.5**

— E o "desculpismo"? Nesse terreno de assistência espiritual, verão, um dia, quantos pretextos são inventados pelas criaturas terrestres por fugir ao testemunho da verdade divina, nas tarefas que lhes são próprias. Os mordomos da responsabilidade alegam excesso de deveres; os servidores da obediência afirmam ausência de ensejo. Os que guardam possibilidades financeiras montam guarda ao patrimônio amoedado; os que receberam a bênção da pobreza de recursos monetários aconselham-se com a revolta. Os moços declaram-se muito jovens para cultivar as realidades sublimes; os mais idosos afirmam-se inúteis para servi-las. Os casados reclamam quanto à família; os solteiros queixam-se da ausência dela. Dizem os doentes que não podem; comentam os sãos que não precisam. Raros companheiros encarnados conseguem viver sem a contradição.

O senhor Bacelar parecia disposto a prosseguir, mas as duas jovens foram buscá-los, a ele e Aniceto, em nome de Alfredo, a fim de providenciar solução de problema íntimo que lhes dizia respeito.

29
Notícias interessantes

Em vista de apresentação mais íntima de Aniceto, que deixara as jovens em nossa companhia, entramos a conversar animadamente com Cecília e Aldonina. A primeira tinha sido filha dos Bacelares, quando na crosta; a segunda era uma sobrinha do chefe da família, que aguardava a volta da mãezinha para a organização de um lar na cidade próxima.

29.1

Ambas demonstravam magnífico desenvolvimento mental, robusta inteligência e notável capacidade de expressão.

E, enquanto os nossos maiores se conservavam afastados, cogitando de assunto privado, Vicente e eu ouvíamos as jovens, encantados com a sua nobreza e vivacidade.

Verificava que o quadro era idêntico à paisagem social da Terra, apenas diferindo quanto aos sentimentos reais. Não havia qualquer nota de falsa apresentação. Em tudo a alegria pura, a simplicidade fiel, a sinceridade sem mácula.

No desenvolvimento espontâneo da palestra, falou Cecília, com graça:

29.2 — Estou trabalhando, há muito, para alcançar um prêmio de visita a Nosso Lar. Minhas superioras prometeram-me semelhante satisfação para o ano próximo...

E, sorrindo, rematou expressivamente:

— Entretanto, para consegui-lo, tenho de atender a umas tantas obrigações importantes.

— Pois quê! — disse Vicente, admirado. — É preciso tanto?!

— Sem dúvida — tornou a jovem, bem-humorada —, o meu amigo talvez não esteja convencido quanto ao brilho de sua atual posição. Viver em Nosso Lar é uma grande bênção. Acaso não o terá compreendido ainda?

Sorrimos todos. E, reafirmando o conceito, Cecília continuou:

— Segundo os instrutores que nos visitam em Campo da Paz, os seus Ministérios são verdadeiras universidades de preparação espiritual. O ensejo educativo, neles, é imenso. E chego a crer que, para avaliarem a extensão da benesse que Jesus lhes concedeu, seria necessário viverem alguns anos em nossa colônia, onde o trabalho ativo de vigilância e assistência é mais imperioso, mais exigente.

— Em Nosso Lar, porém — objetei —, temos igualmente grande número de sofredores. A Regeneração é uma colmeia de milhares.

A interlocutora, todavia, revelando profunda acuidade nas observações, considerou:

— Você diz muito bem, quando se refere a colmeia, significando possibilidades de trabalho. Creia que os sofredores que atingem o seu núcleo já se encontram a caminho de excelentes realizações. Naturalmente que os irmãos desequilibrados, que por lá existem, já se torturam pelo vagaroso despertar da consciência, já sentem remorsos e arrependimentos indicativos de renovação. São sofredores que melhoram progressivamente, porque o ambiente da cidade é de elevação positiva. Onde a maioria vive com a bondade, a maldade da minoria tende sempre a desaparecer. Nosso Lar, portanto, mesmo para os que choram, possui soberanas vantagens espirituais.

Impressionado com o que ouvia, lembrei: **29.3**

— Eu mesmo trabalhei algum tempo, em cooperação, nas câmaras retificadoras.

— Já ouvi diversas referências a essa instituição — exclamou Cecília, senhora do assunto —, mas, baseando-me nos informes de mentores amigos, continuo a manter minha opinião.

E, como se já conhecesse nossos processos de serviço, asseverou sorridente:

— Vocês conhecem lá muitos Espíritos sofredores, mas, em Campo da Paz, conhecemos muitos Espíritos obsessores. Lá poderá existir muita gente que ainda chora; mas em nosso meio há muita gente que se revolta. É mais fácil remediar o que geme, que atender ao revoltado. Nas câmaras a que se refere, vocês retificam erros que já apareceram, dores que já se manifestaram; mas aqui, meu amigo, somos compelidos a lutar com irmãos ignorantes e perversos, que se sentem absolutamente certos nas fantasias perigosas que esposaram, e vemo-nos obrigados a atender a doentes que não acreditam na própria enfermidade.

Começava a entender a lógica daquela argumentação, e, reconhecendo a impossibilidade de qualquer contradita, a jovem continuou, segura de si:

— Aliás, é natural que assim seja. Estamos a pouca distância dos homens, nossos irmãos na carne. E sabemos que, na crosta, a situação não é diferente. Quantos materialistas se fantasiam, por lá, de filósofos? Quantos demônios com capa de santos? Quanta má-fé a fingir generosidade e boas intenções? A influência da humanidade encarnada em nosso núcleo de serviço é vigorosa e inevitável.

Vicente, que ouvia atencioso, obtemperou:

29.4 — Deduzo de tudo isso manifestações sacrificiais muito grandes, mas o trabalho em Campo da Paz deve ser altamente meritório.

— Incontestavelmente — respondeu a jovem. — A história da fundação é interessante. Alguns benfeitores, reconhecidos a Jesus, resolveram organizar, em nome dele, uma colônia em plena região inferior, que funcionasse como instituto de socorro imediato aos que são surpreendidos na crosta com a morte física, em estado de ignorância ou de culpas dolorosas. O projeto mereceu a bênção do Senhor e o núcleo se criou, há mais de dois séculos. Nem todos os Espíritos evolvidos, no entanto, estimam o serviço nesse órgão de assistência constante. A maioria dos missionários vitoriosos, ao se ausentar da Terra, necessita refazer energias, por direito natural do trabalhador fiel, e os mentores de nobre posição hierárquica têm seus programas de serviços, que não devem quebrar, em obediência aos desígnios do Senhor. Desse modo, nosso serviço é ativo, mas nossas aquisições são lentas e devemos sempre esperar por cooperadores que se eduquem na própria colônia, em benefício geral. Ganha-se excelente compensação, temos direito a grandes valores intercessórios, mas, por isso mesmo, nossas responsabilidades não são pequenas. Conhecendo a utilidade dos que servem em nossa colônia, não passamos nunca sem instrutores abnegados, que procedem da zona superior, alentando-nos o bom ânimo. O que pedimos, com fundamentação legítima, nunca é negado; e, se tarda o recurso, beneméritos orientadores de nossas atividades prestam explicações que nos libertam de qualquer angústia na espera. Por isso, nosso grupo está sempre coeso e muitos preferem adiar certas realizações sublimes, para permanecer ao lado de companheiros antigos, aos quais se unem com desvelado amor.

Os esclarecimentos da jovem encantavam-me. Naquelas poucas palavras estava todo um resumo de lições sobre o sacrifício e o merecimento, o compromisso fraterno e a solidariedade compensadora.

— A sua família sempre viveu lá? — perguntei com interesse. 29.5

A jovem sorriu e explicou:

— Meu pai, há mais de cinquenta anos, foi socorrido pelos benfeitores de Campo da Paz e, restabelecida a saúde espiritual, fixou-se na colônia, com razoável impulso de amizade e gratidão. Mais tarde, minha mãe reuniu-se a ele e, faz precisamente vinte anos, Aldonina e eu fomos atraídas amorosamente por ambos, a fim de continuarmos, ali, no santuário familiar. Desse modo, trabalhamos ao lado deles, desde a primeira hora.

— E tem muitos programas para o futuro? — indaguei.

Cecília fez um gesto que lhe caracterizava o coração de moça sonhadora e redarguiu:

— Tenho muitos projetos e problemas a resolver, mas estou aguardando a chegada de alguém que ainda se encontra na Terra.

30
Em palestra afetuosa

Voltávamo-nos em conversação amiga para as belezas de Nosso Lar, quando Aldonina interveio, acrescentando: **30.1**

— Alguns membros de nossa família visitam a cidade de vocês, de tempos a tempos. Nossa irmã, Isaura, que se casou em Campo da Paz, há três anos, lá reside em companhia do esposo, que é funcionário dos Serviços de Investigação do Ministério do Esclarecimento.

Percebendo-nos a curiosidade, prosseguiu:

— Morava ele conosco, mas, desde muito tempo, foi convocado a serviços por lá, vindo, mais tarde, buscar a noiva.

Vicente, que se mantinha em atitude expectante, exclamou:

— Tocamos num assunto que muita admiração me tem despertado, desde que regressei dos círculos terrenos. Não tinha, no mundo, a menor ideia de que pudéssemos cogitar de uniões matrimoniais depois da morte do corpo. Quando assisti a festividades dessa natureza, em Nosso Lar, confesso que minha surpresa raiou pela estupefação.

Cecília, vivaz, acentuou, sorrindo:

— Isto se deu também conosco. Entretanto, é forçoso reconhecer que tal estado da alma resulta do exclusivismo pernicioso a que nos entregamos no plano carnal, porque, se o casamento humano é um dos mais belos atos da existência na Terra, por que deixaria de existir aqui, onde a beleza é sempre mais quintessenciada e mais pura? E, além do mais, é imprescindível ponderar que não vivemos à revelia de leis sábias e justas.

30.2 — E como são felizes os que se casam em nossos planos! — acentuou o companheiro, denotando aspirações secretas do coração.

Aldonina esboçou um gesto expressivo e considerou:

— Sim, para possuirmos aqui essa ventura, é preciso ter amado na Terra, movimentando os mais nobres impulsos do espírito. Para colher os júbilos dessa natureza, é necessário ter amado com alma. Os que se consagram exclusivamente aos desejos do corpo não sabem amar além da forma, são incapazes de sentir as profundas vibrações espirituais do amor sem morte.

Desejando, porém, retomar o assunto referente a Isaura, interroguei curioso:

— Continuem falando-nos da irmã que se mudou para Nosso Lar. Estimaria saber como se realizou o consórcio. Se você, Cecília, está aguardando um prêmio de visita à nossa cidade, como se casou ela, transferindo-se para lá definitivamente?

Cecília sorriu e retrucou:

— Isso é outro caso. Isaura não poderia correr atrás do noivo, porque estava em situação inferior à dele, mas Antônio, como superior, poderia descer a buscá-la. Não creiam, porém, que o matrimônio se tenha verificado sem qualquer preparação ou exigência. O noivo poderia conduzi-la sem qualquer formalidade, desde que recebesse o devido consentimento, porquanto obtivera permissão das autoridades de Nosso Lar, mas um dos chefes de serviço aconselhou a Isaura, nesse sentido, explicando-lhe que, como administrador de uma colônia em condições de inferioridade, não podia opor qualquer embargo, mas pedia à noiva preparar-se, por seis anos sucessivos, em Campo da Paz, antes da partida definitiva, acrescentando sensatamente que, num casamento de almas, é indispensável apurar o enxoval dos sentimentos. Nossa irmã, que foi sempre muito prudente, aceitou a solicitação e trabalhou durante todo esse tempo em nossa colônia, adquirindo valores culturais e aprimorando o campo do pensamento.

Recebia essas delicadas informações, sem disfarçar a enorme surpresa. 30.3

— Já fui visitar o casal, uma vez — disse Aldonina, honrada —, quando ganhei o prêmio de assiduidade e bom ânimo. Estive em Nosso Lar durante uma quinzena inesquecível para mim; no entanto, embora visitasse sublimes instituições como o Bosque das Águas, o Salão da Arte Divina, o Campo da Prece Augusta, reconheço ter voltado muito longe de um conhecimento integral da enorme cidade. Lá irei, contudo, mais tarde, pois continuo em meu trabalho e nossos instrutores afirmam sempre que tudo de bom deve aguardar do destino quem saiba servir ao bem e trabalhar com esperança.

Admirando a beleza de sentimentos daquelas jovens, indaguei emocionado:

— Mas não têm vocês, em "Campo da Paz", instituições semelhantes? Não existirão, por lá, templos de alegria abertos à juventude?

— Ah! sim — murmurou Cecília como quem não desejava ser ingrata às bênçãos do Eterno —, muito nos dá o Senhor, em nossa colônia; entretanto, permanecemos na vizinhança dos irmãos encarnados. As tempestades que nos atingem obrigam-nos a serviços constantes. Os quadros inferiores que nos cercam são profundamente dolorosos. Nossa cidade não possui Ministérios da União Divina, nem da Elevação. Não podemos receber a influência superior com muita facilidade. Nossos trabalhos de comunicação e auxílio necessitam ainda de muita gente educada no Evangelho, para funcionar com eficiência. Além disso, temos os problemas de finalidade. Nossa colônia foi instituída para socorro urgente. A nosso ver, Campo da Paz é, mais que tudo, um avançado centro de enfermagem, rodeado de perigos, porque os irmãos ignorantes e infelizes nos cercam o esforço por todos os lados. De dez em dez quilômetros, nas zonas de nossa vizinhança, há Postos de Socorro como este, que funcionam como instituições de assistência fraternal e sentinelas ativas, ao mesmo tempo.

30.4   A jovem fez uma pausa mais longa, observando o efeito de suas palavras, e rematou:

— Nosso governador, quando se agravam os serviços, costuma asseverar que estamos num campo de batalha, com a Paz de Jesus. Imagem alguma define tão bem o nosso núcleo, como esta. No exterior, o trabalho é rigoroso e incessante, mas, dentro de nós, existe uma tranquilidade que nós mesmos dificilmente podemos compreender.

— O serviço circunscreve-se à cidade? — perguntei.

— Não — o trabalho é multiforme. Eu e Aldonina, por exemplo, temos grandes tarefas de assistência junto dos recém-encarnados. Nossa cidade prepara, em média, quinze a vinte reencarnações diárias e torna-se imprescindível assistir os companheiros ou tutelados, pelo menos no período infantil mais tenro, que compreende os primeiros sete anos de existência carnal.

E talvez porque lesse em nossos olhos a mais viva admiração, a jovem adiantou-se, explicando:

— Felizmente, porém, temos as faculdades de volitação bastante adestradas. Raramente encontramos empecilhos vibratórios e podemos, por isso mesmo, agir com grande economia de tempo. Além disso, somente nossos instrutores vão ao serviço sozinhos. Quanto a nós, não saímos, a não ser em grupos. Necessitamos auxílio recíproco, não só no que diz respeito à eficiência, senão também no que se refere ao amparo magnético.

E, sorrindo de modo singular, concluiu:

— No trabalho de assistência aos outros e defesa de nós mesmos, não podemos dispensar a prática avançada e justa da cooperação sincera.

31
Cecília ao órgão

Poucas vezes, no círculo carnal, tivera o prazer de assistir a **31.1** reunião tão seleta.

Todos os lustres estavam magnificamente acesos e, lá fora, as grandes árvores, docemente agitadas pelo vento brando, pareciam refletir o clarão lunar. Pares graciosos passeavam ao longo da varanda e das escadarias extensas. O castelo enchera-se de alegria, com a crescente multiplicação de convidados. O administrador mostrava-se orgulhoso de confraternizar com os colaboradores diretos da sua obra, na recepção condigna aos amigos da colônia próxima. O júbilo transparecia em todos os rostos, e eu, observando a beleza do espetáculo, meditava na ventura da vida social, no ambiente daqueles que começavam a compreender e praticar o "amai-vos uns aos outros", distanciados da hipocrisia e das convenções aviltantes.

Conversávamos animadamente quando Alfredo nos convidou para o Salão de Música.

Houve geral contentamento. A senhora Bacelar, dando o braço à nobre Ismália, parecia encantada com a lembrança.

31.2   Dirigimo-nos para o grande recinto, prodigiosamente iluminado por luzes de um azul doce e brilhante. Deliciosa música embalava-nos a alma. Observei, então, que um coro de pequenos musicantes executava harmoniosa peça, ladeando um grande órgão, algo diferente dos que conhecemos na Terra. Oitenta crianças, meninos e meninas, surgiam, ali, num quadro vivo, encantador. Cinquenta tangiam instrumentos de corda e trinta conservavam-se, graciosamente, em posição de canto. Executavam, com maravilhosa perfeição, uma linda barcarola que eu nunca ouvira no mundo.

Comovidíssimo, ouvi o administrador explicar:

— As crianças do Posto são as nossas flores vivas. Dão-nos perfume, encantamento, alegria, suavizando-nos todos os trabalhos.

Abeiramo-nos do órgão, sentando-nos todos em confortáveis poltronas.

Quando as crianças terminaram, sob aplausos calorosos, Ismália pediu a Cecília executasse alguma coisa.

— Eu? — disse a jovem, corando. — Se a senhora vem das altas esferas, onde a harmonia é santificada e pura, como poderei executar para os seus ouvidos?

— Não diga isso, Cecília — tornou, sorridente, a generosa esposa do administrador —, a música elevada é sublime em toda parte. Vá, minha filha! lembre-me o lar terreno nos dias mais belos!...

E, antes que a jovem Bacelar perguntasse qual a peça preferida, Ismália continuou:

— Os serviços musicais do Posto levam-me a recordar a velha fazenda, quando voltava do internato... Meus pais estimavam as composições europeias e, quase todas as noites, ensaiava ao piano...

E, fixando em Cecília os olhos úmidos e brilhantes, rematou:

— Sua mamãe deve lembrar comigo a música predileta de meu velho e carinhoso pai...

Notei que a senhora Bacelar disse alguma coisa à filha, em voz baixa, e vimos Cecília caminhar para o grande instrumento, sem hesitação. Com emoção indizível, ouvimo-la executar, magistralmente, a "Tocata e Fuga em Ré Menor", de Bach, acompanhada pelas crianças exultantes.

Fixei o rosto de Ismália, notando, pela luz do seu olhar, que seus pensamentos vagueavam longe, talvez em torno do antigo ninho doméstico. Vi-a enxugar as lágrimas discretas e abraçar Cecília carinhosamente, ao findar a execução. 31.3

— Agora, Cecília, cante alguma canção da própria alma! — falou a nobre senhora com ternuras de mãe. — Mostre-nos seu coração...

Os senhores Bacelar estavam satisfeitos e emocionados. Lia-se-lhes nos gestos o carinho com que acompanhavam os menores movimentos da filha.

A jovem sorriu, voltou ao teclado, mas permanecia, agora, fundamente transfigurada. Seu belo semblante parecia refletir alguma luz diferente, que vinha de mais alto. Começou a cantar, de maneira misteriosa e comovedora. A música parecia sair-lhe das profundezas do coração, mergulhando-nos em sublime emotividade. Procurei guardar as palavras da maravilhosa canção, mas seria impossível repeti-las integralmente, no círculo dos encarnados na Terra. A sombra da meia-noite não poderia traduzir o revérbero da aurora. Mas de algo me lembro, para registrar aqui, com a fidelidade de que é suscetível minha memória imperfeita.

Como se fora rodeada de claridades diversas daquela em que nos banhávamos, Cecília cantou com voz veludosa e cariciante:

Guardei para os teus olhos
As estrelas brilhantes do céu calmo...

Guardei para tua alma
Todos os lírios puros dos caminhos!...
Amado meu, amado meu,

31.4
Como é longa a viagem entre escolhos
Neste oceano imenso da saudade,
Ao sublime luar da eternidade!...

Em vão, a fada Esperança
Acende a luz dentro de mim...
Por que te foste ao mundo, assim?!

Volta, amado!
Ainda mesmo
Que as tuas mãos estejam frias
E que teus pés sangrem de dor.

Trago comigo o bálsamo, a ternura,
Volta a mim,
Vem respirar, de novo, no jardim
Da imortal união!...

Curarei tuas chagas de amargura,
Dar-te-ei o roteiro para a estrada,
Amarei os que amas,
Para que me abençoes com o teu sorriso.
Volta, amado!
Esquece a dor e a sombra do passado,
Volta, de novo, ao nosso paraíso!...

Quando desferiu as últimas notas, vi-lhe o semblante lavado em lágrimas, como se fôra banhado em pérolas de luz. Observei que a senhora Bacelar, muitíssimo comovida, tocou de leve a mão de Ismália e falou:

— Cecília nunca o esquece.

A esposa do administrador, mostrando-se extremamente sensibilizada, indagou:

— Não têm vocês novas notícias de Hermínio?

31.5

— O pobrezinho tem vivido de queda em queda — esclareceu a nobre interlocutora — e Cecília sabe que não poderá contar com ele, por muito tempo ainda, guardando, por esse motivo, muita mágoa íntima. Entretanto, nossa filha não desanima e trabalha, incessantemente, cheia de esperança.

Nesse momento, porém, a jovem regressava ao círculo familiar, enxugando os olhos.

A esposa de Alfredo abraçou-a e falou:

— Minhas felicitações! Não sabia que você progredira tanto na arte divina! E que bela canção!...

Cecília fez um gesto de timidez, beijou a mão da carinhosa amiga e retrucou:

— Perdoe-me, querida Ismália, meu coração permanece ainda muito ligado à Terra!...

Ismália, porém, de olhos úmidos e compreendendo-lhe o sofrimento íntimo, conchegou-a ao peito e murmurou:

— Devotar-se não é crime, minha boa Cecília. O amor é luz de Deus, ainda mesmo quando resplandeça no fundo do abismo.

32
Melodia sublime

Num gesto nobre, Aniceto pediu a Ismália que executasse   32.1
algum motivo musical de sua elevada esfera.
A esposa de Alfredo não se fez rogada. Com extrema bondade, sentou-se ao órgão, falando gentil:
— Ofereço a melodia ao nosso caro Aniceto.
E, ante nossa admiração comovida, começou a tocar maravilhosamente. Logo às primeiras notas, alguma coisa me arrebatava ao sublime. Estávamos extasiados, silenciosos. A melodia, tecida em misteriosa beleza, inundava-nos o espírito em torrentes de harmonia divina. Penetrava-me o coração um campo de vibrações suavíssimas, quando fui surpreendido por percepções absolutamente inesperadas. Com assombro indefinível, reparei que a esposa de Alfredo não cantava, mas no seio caricioso da música havia uma prece que atingia o sublime — oração que eu *não escutava com os ouvidos*, mas recebia em cheio na alma, por meio de vibrações sutis, como se o melodioso som estivesse impregnado do verbo silencioso e criador. As notas de louvor

alcançavam-me o âmago do espírito, arrancando-me lágrimas de intraduzível emotividade:

32.2
Ó Senhor Supremo de Todos os Mundos
E de Todos os Seres,
Recebe, Senhor,
O nosso agradecimento
De filhos devedores do teu amor!

Dá-nos tua bênção,
Ampara-nos a esperança,
Ajuda-nos o ideal
Na estrada imensa da vida...

Seja para o teu coração,
Cada dia,
Nosso primeiro pensamento de amor!

Seja para tua bondade
Nossa alegria de viver!...

Pai de amor infinito
Dá-nos tua mão generosa e santa.

Longo é o caminho.
Grande o nosso débito,
Mas inesgotável é a nossa esperança.

Pai amado,
Somos as tuas criaturas,
Raios divinos
De tua divina Inteligência.

Ensina-nos a descobrir
Os tesouros imensos
Que guardaste
Nas profundezas de nossa vida,
Auxilia-nos a acender
A lâmpada sublime
Da sublime Procura!

Senhor,   **32.3**
Caminhamos Contigo
Na eternidade!...
Em Ti nos movemos para sempre.

Abençoa-nos a senda,
Indica-nos a sagrada Realização.
E que a glória eterna
Seja em teu eterno trono!...

Resplandeça contigo a infinita Luz,
Mane em teu coração misericordioso
A Soberana Fonte do Amor,
Cante em tua Criação infinita
O sopro divino da eternidade.

Seja a tua bênção
Claridade aos nossos olhos,
Harmonia ao nosso ouvido,
Movimento às nossas mãos,
Impulso aos nossos pés.

No amor sublime da Terra e dos Céus!...
Na beleza de todas as vidas,

Na progressão de todas as coisas,
Na voz de todos os seres,
Glorificado sejas para sempre,
Senhor.

32.4   Que melodia era aquela que se ouvia através de sons inarticulados? Não pude conter as lágrimas abundantes. Cecília comovera-nos a sensibilidade, lembrando as harmonias terrenas e os afetos humanos. Ismália, no entanto, arrebatava-nos o espírito, elevando-nos ao supremo Pai. Nunca ouvira oração de louvor como aquela! Além disso, a esposa de Alfredo glorificava o Senhor de maneira diferente, inexprimível na linguagem humana. A prece tocara-me as recônditas fibras do coração e reconhecia que nunca meditara na grandeza divina, como naquele instante em que uma alma santificada falava de Deus, com a maravilha de suas riquezas espirituais.

E não era só eu a chorar como criança. Aniceto enxugava os olhos, de maneira discreta, e algumas senhoras levavam o lenço ao rosto.

Compreendi que a oração terminara, porque a música mudou de expressão. O caráter heroico cedeu lugar a lirismo encantador. Experimentando a profunda serenidade ambiente, vi que luzes prodigiosas jorravam do Alto sobre a fronte de Ismália, envolvendo-a num arco irisado de efeito magnético e, com admiração e enlevo, observei que belas flores azuis partiam do coração da musicista, espalhando-se sobre nós. Desfaziam-se como se feitas de cariciosa bruma anilada, ao tocar-nos, de leve, enchendo-nos de profunda alegria. A maior parte caía sobre Aniceto, fazendo-nos recordar as palavras amigas da dedicatória. Impressionavam-me profundamente aquelas corolas fluídicas, de sublime azul-celeste, multiplicando-se, sem cessar, no ambiente, e penetrando-nos o coração como pétalas constituídas apenas de colorido perfume.

Sentia-me tão alegre, experimentava tamanho bom ânimo que não conseguiria traduzir as emoções do momento.

Mais alguns minutos e Ismália terminou a magistral melodia.   **32.5**

A esposa do administrador desceu até nós, coroada de intensa luz.

Alfredo avançou, beijando-a no rosto, ao mesmo tempo que Aniceto lhe estendia a destra, agradecido.

— Há muito tempo não ouvia músicas tão sublimes como as desta noite — exclamou nosso orientador, sorrindo. Cecília falou-nos do sublime amor terrestre, Ismália arrebatou-nos ao divino amor celestial. Ideia feliz a de permanecermos no Posto! Fomos igualmente socorridos pela luz da amizade, que nos revigorou o bom ânimo!

Aproximaram-se os Bacelares, eminentemente comovidos.

— Que maravilhosas flores nos deste, querida amiga! — disse a mãezinha de Cecília, abraçando a esposa de Alfredo.

— Voltaremos ao trabalho, repletos de energia nova! — acrescentou o senhor Bacelar, sorridente.

A extensa sala estava cheia de notas de reconhecimento e júbilo sincero. A melodia de Ismália constituíra singular presente do Céu. A alegria e o bom ânimo transpiravam em todos os rostos.

Observando que Aniceto se retirava para um canto do salão, procurei-o ansioso. Desejava esclarecer o fenômeno da prece sem palavras, das harmonias, das luzes e das flores. Antes, porém, das interpelações do aprendiz, o orientador amigo sorriu, amável, e explicou:

— Conheço a sua sede, André. Não precisa perguntar. Impressionou-se você com a grandeza espiritual da nobre companheira do nosso amigo. Não precisarei alinhar esclarecimentos. Recorda-se de Ana, a infeliz criatura que dorme nos pavilhões, entre pesadelos cruéis? Lembra-se de Paulo, o caluniador? Não os viu carregando pesados fardos mentais? Cada um de nós traz, nos

32.6 caminhos da vida, os arquivos de si mesmo. Enquanto os maus exibem o inferno que criaram para o íntimo, os bons revelam o paraíso que edificaram no próprio coração. Ismália já amontoou muitos tesouros que as traças não roem. Ela já pode dar da infinita harmonia a que se devotou pela bondade e pelo divino amor. A luz que vimos é a mesma que jorra do plano superior, de maneira incessante, inundando os caminhos da vida, mas a melodia, a prece e as flores constituem sublime criação dessa alma santificada. Ela repartiu conosco, neste momento, uma parte dos seus tesouros eternos! Peçamos ao Senhor, meu amigo, que não tenhamos recebido em vão as sublimes dádivas!

33
A caminho da crosta

Após nos refazermos pela manhã, considerando a viagem ainda longa, despedimo-nos, comovidos. Pelo menos, quanto a mim, podia afirmar que me afastava com mágoa, tão belas as lições ali colhidas!

33.1

Alfredo e a esposa nos abraçaram sensibilizados, desejando-nos jornada feliz e êxito no trabalho.

Vários amigos da véspera estavam presentes, saudando-nos jubilosos.

Tomamos o carro, agradavelmente surpreendidos.

Ser-me-ia muito difícil descrever a pequena máquina, que mais se assemelhava a pequeno automóvel de asas, a deslocar-se impulsionado por fluidos elétricos acumulados.

Sempre atencioso, Aniceto explicou:

— Aceitei a cooperação do aparelho, não porque os deseja escravizados ao menor esforço, mas porque a permanência, embora ligeira, no Posto de Socorro, constituiu ensejo dos mais frutuosos à aquisição de conhecimentos necessários. Receberam vocês lições intensivas, relativamente aos nossos irmãos perturbados e sofredores, bem como sobre os efeitos da prece. Desse modo, temos nosso expediente bastante adiantado, considerando que se encontram ambos em tarefa de observação e aprendizado, acima de tudo.

33.2 E, depois de pequena pausa, continuou:

— Não creiam, todavia, que possamos aproveitar a máquina até a crosta. Calculo que só poderemos voar até ao meio-dia. Em seguida, prosseguiremos a pé.

Aniceto calou-se por instantes, sorriu noutra expressão fisionômica e acentuou:

— Isso, porém, acontecerá somente enquanto não hajam vocês criado asas espirituais, que possam vencer todas as resistências vibratórias. Semelhante realização pode não estar distante. Dependerá do esforço que desejarem despender no trabalho aquisitivo. Todo aquele que opere e coopere de espírito voltado para Deus poderá aguardar sempre o melhor. Não é promessa de amizade. É lei.

O pequeno aparelho nos conduziu por enormes distâncias, sempre no ar, mas conservando-se a reduzida altura do solo.

Quase precisamente ao meio-dia, estacionamos em humilde pouso, destinado a abastecimento e reparação de maquinaria de natureza daquela em que havíamos viajado.

Despediu-se de nós o condutor, que nos desejou boa viagem, preparando-se para regressar.

A paisagem tornou-se, então, muito fria e diferente. Não estávamos em caminho trevoso, mas muito escuro e nevoento. Tornara-se densa a atmosfera, alterando-nos a respiração.

Aniceto contemplou, conosco, a vastidão caliginosa e falou em tom grave:

— Com quatro horas de locomoção, estaremos na crosta. Reparem as sombras que nos rodeiam, identifiquem a mudança geral. Infelizmente, as emissões vibratórias da humanidade encarnada são de natureza bastante inferior, referindo-nos à maioria das criaturas terrestres, e estas regiões estão repletas de resíduos escuros, de matéria mental dos encarnados e desencarnados de baixa condição. Atravessaremos grandes zonas, não propriamente tenebrosas, mas muito obscuras ao nosso olhar. Daqui a duas horas, porém, encontraremos sinais da luz solar.

33.3 Nossa peregrinação, francamente, foi muito pesada e dolorosa, e, somente aí, avaliei, de fato, a enorme diferença da estrada comum, que liga a crosta a Nosso Lar, e aquela que agora percorríamos a pé, vencendo obstáculos de vulto. Imaginei, comovido, o sacrifício dos grandes missionários espirituais que assistem o homem, compreendendo, então, quão meritório lhes é o serviço e como necessitam disposições especiais e extraordinário bom ânimo para auxiliarem às criaturas encarnadas, de maneira constante.

Os monstros, que fugiam à nossa aproximação, escondendo-se no fundo sombrio da paisagem, eram indescritíveis e, obedecendo a determinações de Aniceto, não posso ensaiar qualquer informe nesse sentido, a fim de não criar imagens mentais de ordem inferior no espírito dos que, acaso, venham a ler estas humildes notícias.

No horário previsto por nosso orientador, começamos a vislumbrar, de novo, a luz do Sol, como se estivéssemos em madrugada clara. O espetáculo era magnífico e novo para mim. Calor brando começou a revigorar-nos.

Aniceto fixou o quadro maravilhoso dos raios de luz atravessando as sombras e falou, de olhos úmidos:

— Agradeçamos ao Senhor dos Mundos a bênção do Sol! Na Natureza física, é a mais alta imagem de Deus que conhecemos. Temo-lo, nas mais variadas combinações, segundo a substância das esferas que habitamos, dentro do sistema. Ele está em Nosso Lar, de acordo com os elementos básicos de vida, e permanece na

Terra segundo as qualidades magnéticas da crosta. É visto em Júpiter de maneira diferente. Ilumina Vênus com outra modalidade de luz. Aparece em Saturno noutra roupagem brilhante. Entretanto, é sempre o mesmo, sempre a radiosa sede de nossas energias vitais!

33.4   Avançamos, comovidos, e, daí a algum tempo, surgiu-nos o astro sublime, na posição que antecede o crepúsculo.

Doutras vezes, viajando sempre através da estrada luminosa e fácil de ser percorrida, em vista das possibilidades de volitação, não fizera maior reparo. Agora, porém, que atravessara névoas compactas, anotava diferenças profundas.

A certa distância, surgia a Terra, não na forma esférica, porque nos achávamos não longe da crosta, mas como paisagem além, a interpenetrar-se nas extensas regiões espirituais.

O Sol resplandecia, rumo ao poente, como enorme lâmpada de ouro.

Aniceto, que parecia alegrar-se sobremaneira, exclamou:

— Entramos na zona de influenciação direta da crosta. Poderemos, doravante, praticar a volitação, utilizando nossos conhecimentos de transformação da força centrípeta. A luz que nos banha resulta do contato magnético entre a energia positiva do Sol e a força negativa da massa planetária. Prossigamos. Não tardaremos a entrar no Rio de Janeiro.

A essa altura, assaltou-me o desejo de perguntar alguma coisa relativamente à direção.

— Como nos orientaremos? — indaguei curioso.

— Antes de tudo — respondeu o instrutor — é preciso não esquecer que nossas colônias estão situadas no campo magnético da América do Sul. Qualquer bússola seria sensível, de agora em diante, mas, em nosso caso, é indispensável educar o pensamento e orientar-nos dentro da energia que lhe é peculiar.

Empregamos, de novo, a capacidade volitante e, dentro em pouco, as matas de Petrópolis estavam à vista. Mais alguns minutos e perlustrávamos as grandes artérias cariocas. Por sugestão do instrutor, abeiramo-nos do mar, em exercício respiratório de maior expressão.

Vicente e eu estávamos positivamente exaustos. Reconhecíamos que o esforço fora significativo para nossas escassas forças. **33.5**

Indiferentes à nossa presença, os transeuntes passavam apressados, de mente chumbada aos problemas de ordem material. Fonfonavam ônibus repletos. A grande baía figurava-se-nos cheia de forças renovadoras.

Quando se acendiam as primeiras luzes elétricas, Aniceto convidou-nos amavelmente:

— Vamos ao reconforto! Vocês estão fatigadíssimos. Irei mostrar-lhes que Nosso Lar tem, igualmente, alguns refúgios na crosta.

34
Oficina de Nosso Lar

Entre dezoito e dezenove horas, atingimos uma casa singela de bairro modesto. No longo percurso, através de ruas movimentadas, surpreendia-me, sobremaneira, por se me depararem quadros totalmente novos. Identificava, agora, a presença de muitos desencarnados de ordem inferior, seguindo os passos de transeuntes vários, ou colados a eles, em abraço singular. Muitos dependuravam-se a veículos, contemplavam-nos outros, das sacadas distantes. Alguns, em grupos, vagavam pelas ruas, formando verdadeiras nuvens escuras que houvessem baixado repentinamente ao solo.

34.1

Assustei-me. Não havia anotado tais ocorrências nas excursões anteriores ao círculo carnal. Aniceto, porém, explicou que não fora vão o auxílio recebido para intensificação do poder visual. Estávamos em tarefa de observação ativa, com vistas ao aprendizado.

Não dissimulava, entretanto, minha surpresa. As sombras sucediam-se umas às outras e posso assegurar que o número de entidades inferiores, invisíveis ao homem comum, não era menor, nas ruas, ao de pessoas encarnadas, em contínuo vaivém. Não havia, ali, a serenidade dos ambientes de Nosso Lar, nem a calma relativa do Posto de Socorro de Campo da Paz. Receios imprevistos instalavam-se-me na alma, desagradáveis choques íntimos assaltavam-me o coração, sem que lhes pudesse localizar a procedência. Tinha a impressão nítida de havermos mergulhado num oceano de vibrações muito diferentes, onde respirávamos com certa dificuldade. Nosso instrutor esclarecia que, com o tempo, seriam dilatados nossos poderes de resistência e que as penosas sensações experimentadas obedeciam à circunstância de ser aquela a primeira vez que descíamos ao ambiente da crosta em serviço de análise mais intenso. Recomendava-nos bom ânimo e, sobretudo, a conservação da fortaleza mental, ante quaisquer quadros menos estimáveis que nos defrontassem de imprevisto. A eficiência do auxílio, exclamava ele, necessita educação persistente. Não seria possível ajudar alguém, prendendo-nos a fraquezas de qualquer espécie.

34.2 Os conselhos de Aniceto calmavam-nos a alma surpreendida e inquieta, e eu tudo fazia, no íntimo, para ajustar-me aos alvitres do bondoso orientador, mesmo porque asseverava ele que diversos companheiros adiavam nobres realizações, em virtude das manifestações de injustificável receio.

Aquela residência de aspecto tão humilde, que alcançávamos, agora, proporcionava-me cariciosa impressão de conforto. Estava lindamente iluminada por clarões espirituais, que recordavam precisamente nossa cidade tão distante. Fundamente surpreendido, reparei que o nosso orientador se detivera. Notando a nossa admiração, Aniceto indicou a casa pobre e falou:

— Teremos aqui o nosso refúgio. É uma oficina que representa Nosso Lar.

Profundo assombro empolgou-me o íntimo, mas não tive ensejo para indagações. Precisava seguir o instrutor, que tomara a direção da casa pequenina. Aproximamo-nos do jardim que rodeava a construção muito simples e, estupefato, observei que numerosos companheiros espirituais assomavam à janela, saudando-nos alegremente.

Que significava tudo aquilo? De outras vezes, visitara minha cidade e meu antigo lar, mas nunca vira tal coisa. 34.3

Aniceto compreendeu-me a perplexidade e explicou:

— Os irmãos que nos saúdam são trabalhadores espirituais que se abrigam nesta tenda de amor.

Um cavalheiro muito simpático e acolhedor abriu-nos a porta.

Este pormenor foi outra nota imprevista. Tal não sucedia quando voltava à minha velha casa terrena. As portas cerradas não me ofereciam obstáculos. Ali, porém, vigorava um sistema vibratório de vigilância que eu não conhecia até então.

Nosso instrutor envolveu o anfitrião num abraço amistoso, apresentando-nos em seguida.

— Aqui, meu caro Isidoro — disse a indicar-nos, carinhoso —, são nossos amigos Vicente e André, novos cooperadores de serviço, em Nosso Lar.

— Muito bem! muito bem! — exclamou Isidoro, abraçando-nos. — Nossas atividades precisam de trabalhadores operosos. Entrem!

E acrescentou hospitaleiro:

— A casa pertence a todos os cooperadores fiéis do serviço cristão.

Era a primeira vez que eu via uma entidade espiritual com tão segura chefia de uma casa terrestre.

Penetramos o ambiente modesto.

Altamente surpreendido, reparei o interior. A paisagem material mostrava alguns móveis singelos, velhos quadros a óleo nas paredes alvas, velha máquina de costura movimentada por uma jovem aparentando 16 anos, um rapazote de 12 anos presumíveis, atento a cadernetas de exercício escolar, três crianças de 9, 7 e 5 anos aproximadamente, e, como figura central do grupo doméstico, uma senhora de 40 anos, mais ou menos, tricoteando uma blusa. Notei, porém, que da fronte, do tórax, do olhar e das mãos dessa senhora irradiava-se luz incessante que me não permitia sofrear minhas expressões admirativas.

34.4   Aniceto designou-a, respeitoso, e falou:

— Temos, aqui, a nossa irmã Isabel. Para os olhos humanos ela é a viúva de Isidoro, mas para nós é uma servidora leal nas atividades da fé.

Reparei que dona Isabel parecia, de algum modo, registrar a nossa presença, acusando certa surpresa no olhar, mas Aniceto adiantou-se, esclarecendo:

— Nossa amiga é senhora de grande vidência psíquica, mas os benfeitores que nos orientam os esforços recomendam não se lhe permita a visão total do que se passa em torno de suas faculdades mediúnicas. O conhecimento exato da paisagem espiritual, em que vive, talvez lhe prejudicasse a tranquilidade. Isabel, portanto, apenas pode ver, mais ou menos, a vigésima parte dos serviços espirituais em que colabora, de modo direto...

A essa altura, Isidoro nos indicou pequena sala ao lado, e falou a Aniceto em particular:

— Desculpem-me se não lhes posso acompanhar no repouso necessário. Descansem, contudo, à vontade. Tenho serviços urgentes na recepção de outros amigos.

Nosso mentor agradeceu comovidamente, e, acompanhando-o, alcançamos modesto salão pobremente mobilado, mas quase repleto de entidades evolvidas em conversação edificante.

Confortadoras luzes brilhavam em todos os recantos. Havia ali um velho relógio, tosca mesa de grandes proporções, uma dúzia de cadeiras e alguns bancos rústicos.

A claridade espiritual reinante, todavia, era de maravilhoso 34.5
efeito. Muita gente esclarecida e generosa do plano invisível aos humanos aí se reunia. Aniceto cumprimentou os grupos que lhe eram mais íntimos, de modo especial, e apresentou-nos com a bondade de sempre.

Sentindo-nos a admiração, esclareceu, quando nos vimos mais a sós num canto do salão:

— Estamos numa oficina de Nosso Lar. Isidoro e Isabel edificaram-na, num ato de heroísmo e fé, tendo saído de nossa cidade para essa tarefa, vai para mais de quarenta anos. Graças a Deus, ambos têm vencido, galhardamente, árduas provas, e mantêm seus compromissos corajosamente, em serviço na crosta. Há três anos, voltou ele para nossa esfera, e, contudo, graças ao altruísmo da esposa e aos vínculos de amor espiritual que conservam acima de todas as expressões físicas, continuam estreitamente unidos, como no primeiro dia do reencontro na existência material. Dada esta circunstância invulgar, as autoridades de Nosso Lar concederam-lhe permissão para continuar nesta casa como esposo amigo, pai devoto, sentinela vigilante e trabalhador fiel.

E, observando talvez a nossa maior surpresa, Aniceto acrescentou:

— Sim, amigos, o acaso não define responsabilidades nem atende a construção séria. A edificação espiritual pede esforço e dedicação. Assim como os navios do mundo necessitam de âncoras firmes para atenderem eficientemente à sua tarefa nos portos, também nós precisamos de irmãos corajosos e abnegados que façam o papel de âncoras entre as criaturas encarnadas, a fim de que, por elas, possam os grandes benfeitores da Espiritualidade superior se fazerem sentir entre os homens ainda animalizados, ignorantes e infelizes.

35
Culto doméstico

Nas primeiras horas da noite, dona Isabel abandonou a agulha e convidou os filhinhos para o culto doméstico. **35.1**

Notando o interesse que me despertavam as crianças, Aniceto explicou:

— As meninas são entidades amigas de Nosso Lar, que vieram para serviço espiritual e resgate necessário na Terra. O mesmo, porém, não acontece ao pequeno, que procede de região inferior.

De fato, eu identificava perfeitamente a situação. O rapazola não se revestia de substância luminosa e atendia ao convite materno, não como quem se alegra, mas como quem obedece.

Com tamanha naturalidade se sentaram todos em torno da mesa, que compreendi a antiguidade daquele abençoado costume familiar. A filha mais velha, que atendia por Joaninha, trazia cadernos de anotações e recortes de jornais.

A viúva sentou-se à cabeceira e, após meditar breves instantes, recomendou à pequena Neli, de 9 anos, fizesse a oração inicial do culto, pedindo a Jesus o esclarecimento espiritual.

35.2   Todos os trabalhadores invisíveis sentaram-se respeitosos. Isidoro e alguns companheiros mais íntimos do casal permaneceram ao lado de dona Isabel, sendo quase todos vistos e ouvidos por ela.

Tão logo começou aquele serviço espiritual da família, as luzes ambientes se tornaram muito mais intensas.

Profunda sensação de paz envolvia-me o coração.

A pequena Neli, em voz comovente, fez a prece:

Senhor, seja feita a vossa vontade, assim na Terra como nos Céus. Se está em vosso santo desígnio que recebamos mais luz, permiti, Senhor, tenhamos bastante compreensão no trabalho evangélico! Dai-nos o pão da alma, a água da vida eterna! Sede em nossos corações, agora e sempre. Assim seja!...

Dona Isabel pediu à filha mais velha lesse uma página instrutiva e consoladora e, em seguida, algum fato interessante do noticiário comum, ao que Joaninha atendeu, lendo pequeno capítulo de um livro doutrinário sobre a irreflexão e um episódio triste de jornal leigo. A primogênita de Isidoro, que revelava muita doçura e afabilidade, parecia impressionada. Tratava-se de uma jovem de bairro distante, vítima de suicídio doloroso. O repórter gravara a cena com característicos muito fortes. A leitora estava trêmula, sensibilizada.

Assim que Joaninha terminou, dona Isabel abriu o Novo Testamento, como se estivesse procedendo ao acaso, mas, em verdade, eu via que Isidoro, do nosso plano, intervinha na operação, ajudando a focalizar o assunto da noite. A seguir, fixou o olhar na página pequenina e falou:

— A mensagem-versículo de hoje, meus filhos, está no capítulo 13 do evangelho de Mateus.

E lendo o versículo 31, fê-lo em voz alta:

— Outra parábola lhes propôs, dizendo: "O Reino dos céus é semelhante ao grão de mostarda que o homem tomou e semeou no seu campo". **35.3**

Observei, então, um fenômeno curioso. Um amigo espiritual, que reconheci de nobilíssima condição, pelas vestes resplandecentes, colocou a destra sobre a fronte da generosa viúva.

Antes que lhe perguntasse, Aniceto explicou em voz quase imperceptível:

— Aquele é o nosso irmão Fábio Aleto, que vai dar a interpretação espiritual do texto lido. Os que estiverem nas mesmas condições dele poderão *ouvir-lhe os pensamentos*, mas os que estiverem em zona mental inferior receberão os valores interpretativos, como acontece entre os encarnados, isto é, teremos a luz espiritual do verbo de Fábio na tradução do verbo materializado de Isabel.

Nosso mentor não poderia ser mais explícito. Em poucas palavras fornecera-me a súmula da extensa lição.

Notei que a viúva de Isidoro entrara em profunda concentração por alguns momentos, como se estivesse absorvendo a luz que a rodeava. Em seguida, revelando extraordinária firmeza no olhar, iniciou o comentário:

— Lemos hoje, meus filhos, uma página sobre a irreflexão e a notícia de um suicídio em tristíssimas circunstâncias. Afirma o jornal que a jovem suicida se matou por excessivo amor; entretanto, pelo que vimos aprendendo, estamos certos de que ninguém comete erros por amar verdadeiramente. Os que amam, de fato, são cultivadores da vida e nunca espalham a morte. A pobrezinha estava doente, perturbada, irrefletida. Entregou-se à paixão que confunde o raciocínio e rebaixa o sentimento. E nós sabemos que, da paixão ao sofrimento, ou à morte, não é longa a distância. Lembremos, todavia, essa amiga desconhecida, com um pensamento de simpatia fraternal. Que Jesus a proteja nos caminhos novos. Não estamos examinando um ato, que ao Senhor compete julgar, mas um fato, de cuja expressão devemos extrair o ensinamento justo.

35.4 "A mensagem evangélica desta noite assevera, pela palavra do nosso divino Mestre aos discípulos, que o Reino dos céus é também 'semelhante ao grão de mostarda que o homem tomou e semeou no seu coração'. Devemos ver, neste passo, meus filhos, a lição das coisas mínimas. A esfera carnal onde vivemos está repleta de irreflexões de toda sorte. Raras criaturas começam a refletir seriamente na vida e nos deveres, antes do leito da morte física. Não devemos fixar o pensamento tão só nessa jovem que se suicidou em condições tão dramáticas, ao nos referirmos aos ensinos de agora. Há homens e mulheres com maiores responsabilidades, em todos os bairros, que evidenciam paixões nefastas e destruidoras no campo dos sentimentos, dos negócios, das relações sociais. As mentes desequilibradas pela irreflexão permanecem, neste mundo, quase por toda a parte. É que nos temos descuidado das coisas pequeninas. Grande é o oceano, minúscula é a gota, mas o oceano não é senão a massa das gotas reunidas. Fala-nos o Mestre, em divino simbolismo, da semente de mostarda. Recordemos que o campo do nosso coração está cheio de ervas espinhosas, demorando, talvez, há muitos séculos, em terrível esterilidade. Naturalmente, não deveremos esperar colheitas milagrosas. É indispensável amanhar a terra e cuidar do plantio. A semente de mostarda, a que se refere Jesus, constitui o gesto, a palavra, o pensamento da criatura. Há muitas pessoas que falam bastante em humildade, mas nunca revelam um gesto de obediência. Jamais realizaremos a bondade, sem começarmos a ser bons. Alguma coisa pequenina há de ser feita, antes de edificarmos as grandes coisas. O Senhor ensinou, muitas vezes, que o Reino dos céus está dentro de nós. Ora, é portanto em nós mesmos que devemos desenvolver o trabalho máximo de realização divina, sem o que não passaremos de grandes irrefletidos. A floresta também começou de sementes minúsculas. E nós, espiritualmente falando, temos vivido em densa floresta de males, criados por nós mesmos, em razão da invigilância na escolha de sementes espirituais. A palestra de uma hora, o pensamento de um dia, o gesto de um momento podem representar muito em nossas vidas. Tenhamos cuidado com as coisas pequeninas e selecionemos os grãos de mostarda do Reino dos céus. Lembremos que Jesus nada ensinou em vão. Toda vez que pegarmos desses grãos, consoante a Palavra divina, semeando-os no campo íntimo, receberemos do Senhor todo o auxílio necessário. Conceder-nos-á a chuva das bênçãos, o sol do amor eterno, a vitalidade sublime da esfera superior. Nossa semeadura crescerá e, em breve tempo, atingiremos elevadas edificações. Aprendamos, meus filhos, a ciência de começar, lembrando a bondade de Jesus a cada instante. O Mestre não nos desampara, segue-nos amorosamente, inspira-nos o coração. Tenhamos, sobretudo, confiança e alegria!"

35.5 Reparei que Fábio retirou a mão da fronte da viúva e observei que ela entrava a meditar, como quem sentira o afastamento da ideia em curso.

Havia grande comoção na assembleia invisível às crianças que, por sua vez, também pareciam impressionadas.

Dona Isabel voltou a contemplar maternalmente os filhos, e falou:

— Procuremos, agora, conversar um pouco.

36
Mãe e filhos

No comentário evangélico, eu recolhia observações inte‑   36.1
ressantes. Tal como no caso de Ismália, quando lhe ouvíamos a sublime melodia, a interpretação de Fábio estava cheia de maravilhas espirituais que transcendiam à capacidade recepti‑ va de dona Isabel. A viúva de Isidoro parecia deter tão somente uma parte.

Desse modo, as crianças recebiam a lição de acordo com as possibilidades mediúnicas da palavra materna, enquanto a nós outros se propiciava o ensinamento com maravilhoso con‑ teúdo de beleza.

Sempre solícito, o instrutor esclareceu:

— Não se admirem do fenômeno! Cada qual receberá a luz espiritual conforme a própria capacidade. Há muitos com‑ panheiros nossos, aqui reunidos, que registram o comentário de Fábio com mais dificuldade que as próprias crianças. Experimen‑ tam, ainda, grandes limitações.

Havia grande respeito em todos os desencarnados presentes.

36.2   Fábio Aleto sentou-se em plano superior, ao passo que Isidoro se acomodava junto da esposa, no impulso afetivo do pai que se aproxima, solícito, para a conversação carinhosa com os filhos bem-amados.

Nesse instante, a pequenina Marieta, que parecia haver atingido os 7 anos, aproveitando o momento de palavra livre, perguntou à mãezinha, em tom comovedor:

— Mamãe, se Jesus é tão bom, por que estamos comendo só uma vez por dia, aqui em casa? Na casa de dona Fausta, eles fazem duas refeições, almoçam e jantam. Neli me contou que no tempo de papai também fazíamos assim, mas agora... Por que será?

A viúva esboçou um sorriso algo triste e falou:

— Ora, Marieta, você vive muito impressionada com essa questão. Não devemos, filhinha, subordinar todos os pensamentos às necessidades do estômago. Há quanto tempo estamos tomando nossa refeição diária e gozando de boa saúde? Quanto benefício estaremos colhendo com esta frugalidade de alimentação?

Joaninha interveio, acrescentando:

— Mamãe tem toda a razão. Tenho visto muita gente adoecer por abuso da mesa.

— Além disso — acentuou dona Isabel, confortada —, vocês devem estar certos de que Jesus abençoa o pão e a água de todas as criaturas que sabem agradecer as dádivas divinas. É verdade que Isidoro partiu antes de nós, mas nunca nos faltou o necessário. Temos nossa casinha, nossa união espiritual, nossos bons amigos. Convençam-se de que o papai está trabalhando ainda por nós.

Nessa altura da palestra, dada a nossa comoção, Isidoro enxugou os olhos úmidos.

Noêmi, a caçula pequenina, falou em voz infantil:

— É mesmo, é verdade! Eu vi papai ajudando a segurar o bolo que dona Cora nos trouxe domingo.

— Também vi, Noêmi — disse dona Isabel, de olhos vivamente brilhantes —; papai continua auxiliando-nos.

36.3

E, voltando-se para todos, acentuou:

— Quando sabemos amar e esperar, meus filhos, não nos separamos dos entes queridos que morrem para a vida física. Tenhamos certeza na proteção de Jesus!...

Marieta, parecendo agora absolutamente tranquila, assentiu:

— Quando a senhora fala, mamãe, eu sinto que tudo é verdade! Como Jesus é bom! E se nós não tivéssemos a senhora? Tenho visto os pequenos mendigos abandonados. Talvez não comam coisa alguma, talvez não tenham amigos como os nossos! Ah! como devemos ser agradecidos ao Céu!...

A viúva, que se confortava visivelmente, ouvindo aquelas palavras, exclamou com profunda emoção:

— Muito bem, minha filha! Nunca deveremos reclamar, e sim louvar sempre. E possivelmente não saberia você compreender a situação, se estivéssemos em mesas lautas.

Observei, porém, que o menino não compartilhava aquele dilúvio de bênçãos. Entre dona Isabel e as quatro filhinhas havia permuta constante de vibrações luminosas, como se estivessem identificadas no mesmo ideal e unidas numa só posição; mas o rapazote permanecia espiritualmente distante, fechado num círculo de sombras. De quando em quando, sorria irônico, insensível à significação do momento. Valendo-se da pausa mais longa, ele perguntou à genitora, menos respeitosamente:

— Mamãe, que entende a senhora por pobreza?

Dona Isabel respondeu muito serena:

— Creio, meu filho, que a pobreza é uma das melhores oportunidades de elevação ao nosso alcance. Estou convencida de que os homens afortunados têm uma grande tarefa a cumprir na Terra, mas admito que os pobres, além da missão que lhes cabe no mundo, são mais livres e mais felizes. Na pobreza, é mais fácil encontrar a amizade sincera, a visão da assistência de Deus, os tesouros da natureza, a riqueza das alegrias simples e puras. É claro que não me refiro aos ociosos e ingratos dos caminhos terrenos. Refiro-me aos pobres que trabalham e guardam a fé. O homem de grandes possibilidades financeiras muito dificilmente saberá discernir entre a afeição e o interesse mesquinho; crente de que tudo pode, nem sempre consegue entender a divina proteção; pelo conforto viciado a que se entrega, as mais das vezes se afasta das bênçãos da Natureza; e em vista de muito satisfazer aos próprios caprichos, restringe a capacidade de alegrar-se e confiar no mundo.

36.4 Apesar da beleza profunda daquela opinião, o rapazola permaneceu impassível, respondendo algo contrariado:

— Infelizmente, não posso concordar com a senhora. Até os garotos do jardim de infância pensam de modo contrário.

Dona Isabel mudou a expressão fisionômica, assumiu a atitude de quem instrui com a noção de responsabilidade e acentuou:

— Não estamos aqui num jardim de infância, meu filho. Estamos no jardim do lar, competindo-nos saber que as flores são sempre belas, mas que a vida não pode prosseguir sem a bênção dos frutos. Por onde andarmos no mundo, receberemos muitos alvitres da mentira venenosa. É preciso vigiar o coração, Joãozinho, valorizando as bênçãos que Jesus nos envia.

O rapazinho, entretanto, demonstrando enorme rebeldia íntima, tornou:

— A senhora não considera razoável alugar este salão a fim de termos algum dinheiro a mais? Estive conversando, ontem, com o seu Maciel, quando vim da escola. Ele nos pagaria bem para ter aqui um depósito de móveis.

Dona Isabel, de ânimo decidido, respondeu com energia, sem irritação:

– Você deve saber, meu filho, que enquanto respeitarmos a memória de seu pai, este salão será consagrado às nossas atividades evangélicas. Já lhes contei a história do nosso culto doméstico e não desejo que vocês sejam cegos às bênçãos do Cristo. Mais tarde, Joãozinho, quando você entrar diretamente na luta material, se for agradável ao seu temperamento, construa casas para alugar; mas agora, meu filho, é indispensável que você considere este recanto como algo de sagrado para sua mamãe.

— E se eu insistir? — perguntou, mal-humorado, o pequeno orgulhoso. **36.5**

A viúva, muito calma, esclareceu firme:

— Se você insistir, será punido, porque eu não sou mãe para criar ilusões perigosas ao coração dos filhinhos que Deus me confiou. Se muito amo a vocês, precisarei incliná-los ao caminho reto.

O pequeno quis retrucar, mas a luz emitida pelo tórax de dona Isabel, ao que me pareceu, confundiu-lhe o espírito rebelde e vi-o calar-se, a contragosto, amuado e enraivecido. Admirei, então, profundamente, aquela bondosa mulher, que se dirigia à filha mais velha como amiga, às filhinhas mais novas como mãe, e ao filho orgulhoso como instrutora sensata e ponderada.

Aniceto, que também se mostrava satisfeito, disse-nos em tom significativo:

— O Evangelho dá equilíbrio ao coração.

A pequena Neli, amedrontada, pediu, humilde:

— Mamãe, não deixe Joãozinho alugar a sala!

A viúva sorriu, acariciou o rostinho da filha e asseverou:

— Joãozinho não fará isso, saberá compreender a mamãe. Não falemos mais neste assunto, Neli.

E, fixando o relógio, dirigiu-se à primogênita:

— Joaninha, minha filha, ore agradecendo em nosso nome. Nosso horário está findo.

A jovem, com expressão nobre e carinhosa, agradeceu ao Senhor, tocando-nos os corações.

# 37
No santuário doméstico

Terminado o culto familiar, um dos companheiros também rendeu graças.

— Esperemos que esses celeiros de sentimentos se multipliquem — disse Aniceto, sensibilizado. — O mundo pode fabricar novas indústrias, novos arranha-céus, erguer estátuas e cidades, mas, sem a bênção do lar, nunca haverá felicidade verdadeira.

— Bem-aventurados os que cultivam a paz doméstica — exclamou uma senhora simpática, que estivera presente ao nosso lado, durante a reunião.

Dois cooperadores de Nosso Lar serviram-nos alimentação leve e simples, que não me cabe especificar aqui, por falta de termos analógicos.

— Em oficinas como esta — explicou o instrutor amigo —, é possível preservar a pureza de nossas substâncias alimentícias. Os elementos mais baixos não encontram, neste santuário, o campo imprescindível à proliferação. Temos bastante luz para neutralizar qualquer manifestação da treva.

37.2   E, enquanto a família humana de Isidoro fazia frugal refeição de chá com torradas, numa saleta próxima, fazíamos nós ligeiro repasto, entremeado de palestra elevada e proveitosa.

O ambiente continuou animado, em teor de franca alegria.

Depois das vinte e três horas, a viúva recolheu-se com os filhos, em modesto aposento.

Intraduzível a nossa sensação de paz.

Aniceto, Vicente e eu, em companhia doutros amigos, fomos ao pequeno jardinzinho que rodeava a habitação.

As flores veludosas rescendiam. A claridade espiritual ambiente como que espancava as sombras da noite.

Respirando as brisas cariciosas que sopravam da Guanabara, reparei, pela primeira vez, no delicado fenômeno, que não havia observado até então. Uma pequena carinhosa, enquanto a mãezinha palestrava com um amigo, despreocupadamente, colhia um cravo perfumoso, num grito de alegria. Vi a menina colher a flor, retirá-la da haste, ao mesmo tempo que a parte material do cravo emurchecia, quase de súbito. A senhora repreendeu-a com calor:

— Que é isso, Regina? Não temos o direito de perturbar a ordem das coisas. Não repitas, minha filha! Desgostaste a mamãe!

Aniceto, sorrindo bondoso, explicou discretamente:

— Esta é a nossa Irmã Emília, servidora em Nosso Lar, que vem ao encontro do esposo ainda encarnado.

— E ele virá até aqui? — interrogou Vicente, curioso.

— Virá pelas portas do sono físico — acrescentou nosso orientador, sorridente. — Estas ocorrências, no círculo da crosta, dão-se aos milhares, todas as noites. Com a maioria de irmãos encarnados, o sono apenas reflete as perturbações fisiológicas ou sentimentais a que se entregam; entretanto, existe grande número de pessoas que, com mais ou menos precisão, estão aptas a desenvolver este intercâmbio espiritual.

Os mensageiros | Capítulo 37

Estava surpreendido. Aquele trabalho interessante, a que **37.3** nos trazia Aniceto, com tão vasto campo de serviços gerais, fazia-me intensamente feliz. Em cada canto pressentia atividades novas.

Embora as luzes que nos rodeavam, notei que os céus prometiam aguaceiros próximos. As brisas leves transformavam-se, repentinamente, em ventania forte. Não obstante, as sensações de sossego eram agradabilíssimas.

— O vento, na crosta, é sempre uma bênção celeste — exclamou Aniceto, sentencioso. — Podemos avaliar-lhe o caráter divino, em virtude da nossa condição atual. A pressão atmosférica sobre os Espíritos encarnados é, aproximadamente, de quinze mil quilos.

— Todavia, é interessante notar — aduziu Vicente — que não sentimos tamanho peso sobre os ombros.

— É a diferença dos veículos de manifestação — esclareceu Aniceto, atencioso. — Nossos corpos e os de nossos companheiros encarnados apresentam diversidade essencial. Imaginemos o círculo da crosta como um oceano de oxigênio. As criaturas terrestres são elementos pesados que se movimentam no fundo, enquanto nós somos as gotas de óleo, que podem voltar à tona, sem maiores dificuldades, pela qualidade do material de que se constituem.

A essa altura do esclarecimento, notei que formas sombrias, algumas monstruosas, se arrastavam na rua, à procura de abrigo conveniente. Reparei, com espanto, que muitas tomavam a nossa direção, para, depois de alguns passos, recuarem amedrontadas. Provocavam assombro. Muitas pareciam verdadeiros animais perambulando na via pública. Confesso que insopitável receio me invadira o coração.

Calmo, como sempre, Aniceto nos tranquilizou:

— Não temam — disse. — Sempre que ameaça tempestade, os seres vagabundos da sombra se movimentam procurando asilo. São os ignorantes que vagueiam nas ruas, escravizados às sensações mais fortes dos sentidos físicos. Encontram-se ainda colados às expressões mais baixas da experiência terrestre e os aguaceiros os incomodam tanto quanto ao homem comum, distante do lar. Buscam, de preferência, as casas de diversão noturna, onde a ociosidade encontra válvula nas dissipações. Quando isto não se lhes torna acessível, penetram as residências abertas, considerando que, para eles, a matéria do plano ainda apresenta a mesma densidade característica.

37.4   E, demonstrando interesse em valorizar a lição do minuto, acrescentou:

— Observem como se inclinam para cá, fugindo, em seguida, espantados e inquietos. Estamos colhendo mais um ensinamento sobre os efeitos da prece. Nunca poderemos enumerar todos os benefícios da oração. Toda vez que se ora num lar, prepara-se a melhoria do ambiente doméstico. Cada prece do coração constitui emissão eletromagnética de relativo poder. Por isso mesmo, o culto familiar do Evangelho não é tão só um curso de iluminação interior, mas também processo avançado de defesa exterior, pelas claridades espirituais que acende em torno. O homem que ora traz consigo inalienável couraça. O lar que cultiva a prece transforma-se em fortaleza, compreenderam? As entidades da sombra experimentam choques de vulto, em contato com as vibrações luminosas deste santuário doméstico, e é por isso que se mantêm a distância, procurando outros rumos...

Daí a momentos, penetrávamos, de novo, no salão abençoado da modesta residência.

Como quem estivesse atravessando um país de surpresas, outro fato me despertava profunda admiração.

Isidoro e Isabel vieram a nós, de braços entrelaçados, irradiando ventura. Aquela viúva pobre do bairro humilde vestia-se agora lindamente, não obstante a adorável singeleza de sua presença. Sorria contente, ao lado do esposo, via-nos a todos, cumprimentava-nos amável.

— Meus amigos — disse ela, serena —, meu marido e 37.5
eu temos uma excursão instrutiva para esta noite. Deixo-lhes as
nossas crianças por algumas horas e, desde já, lhes agradeço o
cuidado e o carinho.
— Vá, minha filha! — respondeu uma senhora idosa. —
Aproveite o repouso corporal. Deixe os meninos conosco. Vá
tranquila!
O casal afastou-se com a expressão dum sublime noivado.
Nosso orientador inclinou-se para nós e falou:
— Observam vocês como a felicidade divina se manifesta no sono dos justos? Poucas almas encarnadas conheço com a ventura desta mulher admirável, que tem sabido aprender a ciência do sacrifício individual.

38
Atividade plena

No salão acolhedor de dona Isabel, permanecíamos em plena atividade. Lá fora, começara o aguaceiro forte, mas tínhamos a nítida impressão de grande distância da chuva torrencial.

38.1

Logo às primeiras horas da madrugada, o movimento intensificou-se. Muita gente ia e vinha.

— Numerosos irmãos — explicou o orientador — encontram-se neste pouso de trabalho espiritual, na esfera a que os encarnados chamariam sonho. Não é fácil transmitir mensagens de teor instrutivo, nessa tarefa, utilizando lugares comuns, contaminados de matéria mental menos digna. Nas oficinas edificantes, porém, onde conseguimos acumular maiores quantidades de forças positivas da Espiritualidade superior, é possível prestar grandes benefícios aos que se encontram encarnados no planeta.

Acentuei minhas observações, verificando que muitas das pessoas recém-chegadas pareciam convalescentes, titubeantes... Algumas se mantinham de pé, sob o amparo de braços carinhosos. Eram os amigos encarnados a se valerem do desprendimento parcial, pelo sono físico, que se reuniam a nós, aproveitando o auxílio de entidades generosas e dedicadas. Reconhecia, entretanto, que a maior parte não entendia, com precisão, o que se lhes desejava dizer. Muitos pareciam doentes, incompreensivos. Sorriam infantilmente, revelando boa vontade na recepção dos conselhos, mas grande incapacidade de retenção. Eu estudava os quadros ambientes, com justa estranheza. Sempre cuidadoso, Aniceto veio ao encontro de nossa perplexidade.

38.2 — Os Espíritos encarnados — disse —, tão logo se realize a consolidação dos laços físicos, ficam submetidos a imperiosas leis dominantes na crosta. Entre eles e nós existe um espesso véu. É a muralha das vibrações. Sem a obliteração temporária da memória, não se renovaria a oportunidade. Se o nosso campo lhes fora francamente aberto, olvidariam as obrigações imediatas, estimariam o parasitismo, prejudicando a própria evolução. Eis por que raramente estão lúcidos ao nosso lado. Na maioria dos casos, junto de nós, permanecem vacilantes, enfraquecidos... Vejam aquela jovem senhora encarnada, em conversa com a vovozinha que trabalha conosco, em Nosso Lar.

Assim dizendo, Aniceto indicou um grupo mais próximo.

A anciã, de olhos brilhantes e gestos decididos, abraçava-se à neta, lânguida e palidíssima.

— Nieta — exclamava a velhinha, em tom firme —, não dês tamanha importância aos obstáculos. Esquece os que te perseguem, a ninguém odeies. Conserva tua paz espiritual, acima de tudo. Tua mãe não te pode valer agora, mas crê na continuidade de nossa vida. A vovó não te esquecerá. A calúnia, Nieta, é uma serpente que ameaça o coração; entretanto, se a encararmos, fortes e tranquilas, veremos, a breve tempo, que a serpente não tem vida própria. É víbora de brinquedo a se quebrar como vidro, pelo impulso de nossas mãos. E, vencido o espantalho, em lugar da serpente, teremos conosco a flor da virtude. Não temas, querida! Não percas a sagrada oportunidade de testemunhar a compreensão de Jesus!...

A jovem senhora não respondia, mas seus olhos semilúcidos **38.3** estavam cheios de pranto. Demonstrava no gesto vago uma consolação divina, recostada ao seio carinhoso da devotada velhinha.

— Esta irmã se lembrará de tudo, ao despertar no corpo físico? — perguntei, intrigado, ao nosso orientador.

Aniceto sorriu e esclareceu:

— Sendo a avó superior e ela inferior, e, examinando ainda a condição dos planos de vida em que ambas se encontram, a jovem encarnada está sob o domínio espiritual da benfeitora. Entre ambas, portanto, há uma corrente magnética recíproca, salientando-se, porém, que a vovó amiga detém uma ascendência positiva. A neta não vê o ambiente com precisão, nem ouve as palavras integralmente. Não esqueçamos que o desprendimento no sono físico vulgar é fragmentário e que a visão e a audição, peculiares ao encarnado, se encontram nele também restritas. O fenômeno, pois, é mais de união espiritual que de percepções sensoriais, propriamente ditas. A jovem está recebendo consolações positivas, de Espírito a Espírito. Não se recordará, despertando nos véus materiais mais grosseiros, de todas as minúcias deste venturoso encontro que acabamos de presenciar. Acordará, porém, encorajada e bem-disposta, sem poder identificar a causa da restauração do bom ânimo. Dirá que sonhou com a avó num lugar onde havia muita gente, sem recordar as minudências do fato, acrescentando que viu, no sonho, uma cobra ameaçadora, que logo se transformou em serpente de vidro, quebrando-se ao impulso de suas mãos, para transformar-se em perfumosa flor, da qual ainda conserva a lembrança agradável do aroma. Afirmará que soberano conforto lhe invadiu a alma e, no fundo, compreenderá a mensagem consoladora que lhe foi concedida.

38.4   — Não se lembrará, contudo, das palavras ouvidas? — indagou Vicente, curioso.

— Precisaria ter adquirido profunda lucidez no campo da existência física — prosseguiu Aniceto, explicando — e devo esclarecer que recordará as imagens simbólicas da víbora e da flor, porque está em relação magnética com a veneranda avozinha, recebendo-lhe a emissão de pensamentos positivos. A benfeitora não fala apenas. Está pensando fortemente também. A neta, todavia, não está ouvindo ou vendo pelo processo comum, mas está percebendo claramente a criação mental da anciã amiga, e dará notícia exata dos símbolos entrevistos e arquivados na memória real e profunda. Desse modo, não terá dificuldade para informar-se quanto à essência do que a bondosa avó deseja transmitir-lhe ao coração sofredor, compreendendo que a calúnia, quando fere uma consciência tranquila, não passa de serpente mentirosa, a transformar-se em flor de virtude nova, quando enfrentada com o valor duma coragem serena e cristã.

A lição fora profundamente significativa para mim. Começava a adquirir amplas noções do intercâmbio entre as duas esferas. Pensei no longo esforço dos que indagam o mundo dos sonhos. Quanta riqueza psíquica, suscetível de conquista, se os pesquisadores conseguissem deslocar o centro de estudo das ocorrências fisiológicas para o campo das verdades espirituais! Lembrei a psicanálise, a tese freudiana, as manifestações instintivas, inferiores.

Percebendo-me as elucubrações, o devotado mentor dirigiu-me a palavra de maneira especial:

— Freud — asseverou Aniceto — foi um grande missionário da Ciência; no entanto, manteve-se, como qualquer Espírito encarnado, sob certas limitações. Fez muito, mas não tudo, na esfera da indagação psíquica.

Pela pausa do nosso instrutor, percebi que ele não desejava entrar em minucioso exame da teoria famosa. Lembrando, porém, a extraordinária importância atribuída pelo grande cientista às tendências inferiores, indaguei, um tanto tímido:

— Haverá, porém, centros de reunião para os espíritos desequilibrados no mal, como acontece, aqui, aos amigos interessados no bem? **38.5**

O generoso mentor sorriu benévolo e falou:

— Não haja dúvidas quanto a isto. Através das correntes magnéticas suscetíveis de movimentação, quando se efetua o sono dos encarnados, são mantidas obsessões inferiores, perseguições permanentes, explorações psíquicas de baixa classe, vampirismo destruidor, tentações diversas. Ainda são poucos, relativamente, os irmãos encarnados que sabem dormir para o bem...

E, fazendo um gesto por demais expressivo, concluiu:

— Livre-nos o Senhor de cair novamente...

39
Trabalho incessante

Ao alvorecer, observei que Aniceto recebia numerosos amigos, com os quais se entendeu em particular. Informou-nos o estimado orientador, por espírito de delicadeza, que trazia consigo incumbências várias, de acordo com as instruções de Telésforo, das quais era forçado a tratar em caráter privado, não nos ocultando, todavia, o objetivo essencial, que era, ao que disse, o combate ativo a uma grande cooperativa de desencarnados ignorantes, congregados para o mal. 39.1

Enquanto ele se mantinha em conversação íntima, ouvíamos, por nossa vez, outros amigos da faina espiritual.

O dia raiava, agora, com soberano esplendor. Tínhamos a impressão de que a chuva da noite varrera as sombras do firmamento.

Pelo número de trabalhadores espirituais que pernoitaram na casinha humilde, reconheci a importância daquele núcleo de serviço, tão apagado aos olhos do mundo.

Uma senhora, que se aproximara de nós, exclamava comovida:

39.2 — Que o Senhor recompense a nossa irmã Isabel, concedendo-lhe forças para resistir às tentações do caminho. Por haver descansado neste pouso de amor, pude encontrar minha pobre filha, desviando-a do suicídio cruel. Graças à Providência divina!

Incapaz de sofrear o desejo de aprender, perguntei curioso:

— Mas como a encontrou, minha irmã?

— Em sonho — respondeu a velhinha bondosa. — Minha Dalva ficou viúva há três anos, e, faz onze meses, deixei-a só, por haver também desencarnado. A pobrezinha não tem resistido ao sofrimento quanto devera e deixou-se empolgar por entidades maléficas, que lhe tramam a ruína. Embalde me aproximo dela durante o dia, mas, com a mente engolfada em negócios e complicações materiais, não me pôde sentir a influenciação. Precisava encontrar-me com ela à noite, e isso não era fácil, porque não tenho bastante elevação espiritual para operar sozinha e o grupo em que sirvo não poderia demorar na crosta uma noite inteira por minha causa. Foi então que uma amiga me trouxe a este posto de serviço de Nosso Lar. Aqui descansei e pude agir com os grupos de tarefa permanente, ajudada por infatigáveis operários do bem.

— E conseguiu seus fins com facilidade? — indagou Vicente, interessado.

— Graças a Jesus! — respondeu a senhora, evidenciando enorme satisfação. — Agora sei que minha filha recebeu meus alvitres carinhosos de mãe e estou certa de que me atenderá as rogativas.

— Escute, minha amiga — interroguei —, há muitos postos de Nosso Lar, como este?

— Ao que me informaram, há regular número deles, não somente aqui, mas também noutras cidades do país, além de numerosas oficinas que representam outras colônias espirituais, entre as criaturas corporificadas na Terra. Nesses núcleos, há sempre possibilidades avançadas, imprescindíveis ao nosso abastecimento para a luta.

Nesse instante, dois camaradas que nos haviam dirigido a **39.3** palavra durante a noite, despertando-nos sincera simpatia, apresentaram-nos saudações.

— Mas como? — perguntei. — Retiram-se tão cedo?

— Vamos ao trabalho — respondeu-me um deles —; hoje, à noite, realizar-se-á o estudo evangélico e devemos auxiliar os irmãos ignorantes e sofredores que estejam em condições de vir até aqui.

— Há também semelhante tarefa? — indaguei espantado.

— Como não, meu caro? O próprio Jesus já dizia, há muitos séculos, que a seara é grande. Há trabalho para todos. E cumpre-nos reconhecer que esta oficina de assistência cristã funciona, há quase vinte anos, de maneira incessante.

— Vocês, no entanto — interroguei —, permanecem aqui desde os primórdios da fundação?

O interlocutor esclareceu prontamente:

— Não. Muitos, como nós, fazem aqui estágios de serviço. Somente alguns cooperadores de Isidoro e Isabel aqui estacionam desde o início da instituição. Nós outros, contudo, não nos demoramos em trabalho por mais de dois anos consecutivos. Um posto como este é sempre uma escola ativa e santa, e os que se encontrem no clima da boa vontade não devem perder ensejo de aprender.

— Desculpem-me tantas interrogativas — tornei —, mas estimaria saber se vocês são os únicos com as atribuições de recrutar os que ignoram e sofrem, para a instrução e o consolo.

— Não. Hildegardo e eu somos auxiliares apenas de alguns quarteirões no centro urbano. Nesse ramo de socorro, os colaboradores são numerosos.

A essa altura, um dos irmãos, que me parecia integrar o corpo de orientação da casa, aproximou-se e falou ao nosso interlocutor, de maneira especial:

— Vieira, recomendo a você e ao Hildegardo a melhor observância do nosso critério doutrinário. Será inútil trazerem até aqui entidades vagabundas ou de má-fé, obedecendo aos alvitres da simpatia pessoal. Não podemos perder tempo com Espíritos escarninhos e ociosos, nem com aqueles que se aproximam de nossa tenda alimentando certas intenções de natureza inferior. Não faltarão providências de Jesus para essa gente, em outra parte. Lembrem-se disso.

39.4 Não é falta de caridade, é compreensão do dever. Temos um programa de trabalho muito sério, no capítulo da evangelização e do socorro, não podemos abusar da concessão de nossos maiores da Espiritualidade superior. Quem aceita um compromisso não vive sem contas. Por muito que vocês amem a alguma entidade ociosa ou irônica, não facilitem os abusos dela. Ajudem-na de maneira individual, quando disponham de tempo e possibilidades para isso. Não arrastem o grupo a dificuldades. Não se esqueçam de que existem determinados núcleos de tarefa para os surdos e cegos voluntários.

Vieira e o colega fizeram-se palidíssimos, não respondendo palavra.

Quando o orientador se afastou, sereno e ativo, Vieira explicou desapontado:

— Recebemos uma admoestação justa.

E porque visse nosso desejo de aprender, prosseguiu atencioso:

— Infelizmente, Hildegardo e eu temos alguns parentes desencarnados em dolorosas condições espirituais. Na reunião passada, trouxemos meu tio Hilário e o primo Carlos, embora soubéssemos que ambos não se encontram preparados para reflexões sérias, pelo desrespeito às Leis divinas em que se movimentam nos ambientes inferiores. Manifestaram-se ambos, porém, tão desejosos de renovação, que ouvimos, acima de tudo, a simpatia pessoal, esquecendo a necessidade de preparação conveniente. Vieram conosco, sentaram-se entre os ouvintes numerosos. Mas, em meio dos estudos evangélicos, tentaram assaltar as faculdades mediúnicas da irmã Isabel, para transmissão de uma mensagem de teor menos edificante. Sentindo-nos a vigilância e surpreendidos pelos cooperadores desta santificada oficina, revoltaram-se, estabelecendo grande distúrbio. Não fossem as barreiras magnéticas do serviço de guarda, teriam causado males muito sérios. Assim, a reunião foi menos frutuosa, pela grande perda de tempo. Ora, naturalmente, fomos responsabilizados...

— Meu Deus! — exclamou Vicente, admirado — quanta lição nova! **39.5**

— Ah! sim, meu amigo — tornou Vieira, resignado —, aqui não devemos abusar tanto do amor, como no círculo carnal! Ninguém está impedido de ajudar, querer bem, interceder; todos podemos auxiliar os que amamos, com os recursos que nos sejam próprios, mas a palavra "dever" tem aqui uma significação positiva, para quem deseje caminhar sinceramente para Deus.

40
Rumo ao campo

Quase todos os servidores espirituais puseram-se a caminho de tarefas variadas. Somente alguns amigos permaneceriam na residência de dona Isabel, em missão de auxílio e vigilância. 40.1

Notei que Aniceto continuava distribuindo instruções diversas, dirigindo-se, em caráter confidencial, a determinados companheiros, a respeito da missão que lhe confiara Telésforo.

Antes do meio-dia, porém, convidou-nos a acompanhá-lo.

— Na oficina — disse-nos bondoso — encontramos revigoramento imprescindível ao trabalho. Recebemos reforços de energia, alimentamo-nos convenientemente para prosseguir no esforço, mas convenhamos que, para muitos de nós, a noite representou uma série de atividades longas e exaustivas. Necessitamos de algum descanso. Voltaremos ao crepúsculo.

Aonde iríamos? Ignorava. Recordei que, de fato, se alguns haviam repousado no santuário doméstico durante a noite, a maioria havia trabalhado intensamente, e concluí que, se muitos pela manhã haviam tomado rumo às obrigações, outros teriam buscado o repouso indispensável.

40.2 — Aonde vão? — perguntou um companheiro da vigilância, que se fizera nosso amigo.

Antes que respondêssemos, Aniceto esclareceu:
— Vamos ao campo.

E, dirigindo-se especialmente a Vicente e a mim, considerou:
— Utilizemos a volitação, mesmo porque não temos objetivos imediatos no centro urbano.

Notei que movimentava agora minhas faculdades volitantes com facilidade crescente. A excursão educativa, com escala pelo Posto de Socorro de Campo da Paz, fizera-me grande bem. Melhorara em adestramento, sentia-me fortalecido ante as vibrações de ordem inferior, mobilizava os recursos próprios sem dificuldade. Reparei, igualmente, que minhas possibilidades visuais cresciam sensivelmente. Volitando, não observara, até então, o que agora verificava, extremamente surpreendido. Dantes, via somente os homens, os animais, veículos e edifícios chumbados ao solo. Agora, a visão dilatava-se. Reconhecia, de longe, o peso considerável do ar que se agarrava à superfície. Tive a impressão de que nadávamos em alta zona do mar de oxigênio, vendo embaixo, em águas turvas, enorme quantidade de irmãos nossos a se arrastarem pesadamente, metidos em escafandros muito densos, no fundo lodoso do oceano.

— Estão vendo aquelas manchas escuras na via pública? — indagava nosso orientador, percebendo-nos a estranheza e o desejo de aprender cada vez mais.

Como não soubéssemos definir com exatidão, prosseguia explicando:

— São nuvens de bactérias variadas. Flutuam, quase sempre também, em grupos compactos, obedecendo ao princípio das afinidades. Reparem aqueles arabescos de sombra...

E indicava-nos certos edifícios e certas regiões citadinas. **40.3**
— Observem os grandes núcleos pardacentos ou completamente obscuros!... São zonas de matéria mental inferior, matéria que é expelida incessantemente por certa classe de pessoas. Se demorarmos em nossas investigações, veremos igualmente os monstros que se arrastam nos passos das criaturas, atraídos por elas mesmas...

Imprimindo grave inflexão às palavras, considerou:

— Tanto assalta o homem a nuvem de bactérias destruidoras da vida física, quanto as formas caprichosas das sombras que ameaçam o equilíbrio mental. Como veem, o "orai e vigiai" do Evangelho tem profunda importância em qualquer situação e a qualquer tempo. Somente os homens de mentalidade positiva, na esfera da Espiritualidade superior, conseguem sobrepor-se às influências múltiplas de natureza menos digna.

Interessado, contudo, em maior esclarecimento, perguntei:

— Mas a matéria mental emitida pelo homem inferior tem vida própria como o núcleo de corpúsculos microscópicos de que se originam as enfermidades corporais?

O mentor generoso sorriu singularmente e acentuou:

— Como não? Vocês, presentemente, não desconhecem que o homem terreno vive num aparelho psicofísico. Não podemos considerar somente, no capítulo das moléstias, a situação fisiológica propriamente dita, mas também o quadro psíquico da personalidade encarnada. Ora, se temos a nuvem de bactérias produzidas pelo corpo doente, temos a nuvem de larvas mentais produzidas pela mente enferma, em identidade de circunstâncias. Desse modo, na esfera das criaturas desprevenidas de recursos espirituais, tanto adoecem corpos, como almas. No futuro, por esse mesmo motivo, a medicina da alma absorverá a medicina do corpo. Poderemos, na atualidade da Terra, fornecer tratamento ao organismo de carne. Semelhante tarefa dignifica a missão do consolo, da instrução e do alívio. Mas, no que concerne à cura real, somos forçados a reconhecer que esta pertence exclusivamente ao homem-espírito.

40.4   — Deus meu! — exclamou Vicente, espantado — a que perigos está submetido o homem comum!

— Por isso — tornou Aniceto, cuidadoso —, a existência terrestre é uma gloriosa oportunidade para os que se interessam pelo conhecimento e elevação de si mesmos. E, por esta mesma razão, ensinamos a necessidade da fé religiosa entre as criaturas humanas. Desenvolvendo essa campanha, não pretendemos intensificar as paixões nefastas do sectarismo, mas criar um estado positivo de confiança, otimismo e ânimo sadio na mente de cada companheiro encarnado. Até agora, apenas a fé pode proporcionar essa realização. As ciências e as filosofias preparam o campo; entretanto, a fé que vence a morte é a semente vital. Possuindo-lhe o valor eterno, encontra o homem bastante dinamismo espiritual para combater até à vitória plena em si mesmo.

Compreendendo que precisaria completar o esclarecimento, exclamou, depois de pausa mais longa:

— Todos precisamos saber emitir e saber receber. Para alcançarem a posição de equilíbrio, nesse mister, empenham-se os homens encarnados e nós outros, em luta incessante. E já que conhecemos alguma coisa da eternidade, é preciso não esquecer que toda queda prejudica a realização, e todo esforço nobre ajuda sempre.

As explicações recebidas não poderiam ser mais claras. Aquela visão, porém, de ruas repletas de pontos sombrios a se deslocarem vagarosos, atingindo homens e máquinas, nas vias públicas, assombrava-me.

Sequioso de ensinamentos, tornei ao assunto:

— A lição para mim tem valores incalculáveis. E quando penso no alto poder reprodutivo da flora microbiana...

Aniceto, contudo, não me deixou terminar. Conhecendo, de antemão, minha pergunta natural, cortou-me a frase, exclamando: **40.5**

— Sim, André, se não fosse o poder muito maior da luz solar, casada ao magnetismo terrestre, poder esse que destrói intensivamente para selecionar as manifestações da vida, na esfera da Crosta, a flora microbiana de ordem inferior não teria permitido a existência dum só homem na superfície do globo. Por esta razão, o solo e as plantas estão cheios de princípios curativos e transformadores.

E, abanando significativamente a cabeça, concluiu:

— Nada obstante esse poder imenso, recurso divino, enquanto os homens, herdeiros de Deus, cultivarem o campo inferior da vida, haverá também criações inferiores, em número bastante para a batalha sem tréguas em que devem ganhar os valores legítimos da evolução.

41
Entre árvores

Decorridos alguns minutos, atingíamos pequena proprie- 41.1
dade rural, povoada de arvoredo acolhedor.

Laranjeiras em flor perdiam-se de vista. Bananeiras estendiam-se em leque, enquanto o goiabal, de longe, semelhava-se a manchas fortes de verdura. A relva macia convidava ao descanso. E o vento calmo passava de leve, sussurrando alguma coisa através da folhagem.

Aniceto respirou a longos haustos e falou:

— Os desencarnados, embora não se fatiguem como as criaturas terrestres, não prescindem da pausa de repouso. Em geral, nossas operações, à noite, são ativas e laboriosas. Apenas um terço dos companheiros espirituais, em serviço na crosta, conserva-se em atividade diurna.

E, notando-nos a curiosidade justa, sentenciou:

— Aliás, isto é razoável. O dia terrestre pertence, com mais propriedade, ao serviço do Espírito encarnado. O homem deve aprender a agir, testemunhando compreensão das Leis divinas.

Pelo menos durante certo número de horas, deve estar mais só com as experiências que lhe dizem respeito.

41.2 Nosso instrutor amigo sorriu e observou:

— O dia e a noite constituem, para o homem, uma folha do livro da vida. A maior parte das vezes, a criatura escreve sozinha a página diária, com a tinta dos sentimentos que lhe são próprios, nas palavras, pensamentos, intenções e atos, e no verso, isto é, na reflexão noturna, ajudamo-la a retificar as lições e acertar as experiências, quando o Senhor no-lo permite.

Calando-se o nosso orientador, tivemos a atenção exclusivamente voltada para a beleza circundante. Aquele campo amigo e hospitaleiro caracterizava-se por ambiente muito diverso. Não mais as emanações pesadas da cidade grande, mas o vento leve, embalsamado de suavíssimos perfumes. Refletia eu na bondade do Senhor, que nos oferecia recursos novos, quando Aniceto voltou a dizer:

— A Natureza nunca é a mesma em toda parte. Não há duas porções de terra com climas absolutamente iguais. Cada colina, cada vale, possui expressões climatéricas diferentes. É forçoso reconhecer, porém, que o campo, em qualquer condição, no círculo dos encarnados, é o reservatório mais abundante e vigoroso de princípios vitais. Em geral, todos nós, os cooperadores espirituais, estimamos o ar da manhã, quando a atmosfera permanece igualmente em repouso, isenta dos glóbulos de poeira convertidos em microscópicos balões de bacilos e de outras expressões inferiores. Entretanto, os trabalhos de hoje não nos permitiram o descanso mais cedo...

Apoiamo-nos no veludoso relvado, e, percebendo-nos a sede de saber, Aniceto prosseguiu:

— Assim me explico, porque na floresta temos uma densidade forte, pela pobreza das emanações, em vista da impermeabilidade ao vento. Aí, o ar costuma converter-se em elemento asfixiante, pelo excesso de emissões dos reinos inferiores da

Natureza. Na cidade, a atmosfera é compacta e o ar também sufoca, pela densidade mental das mais baixas aglomerações humanas. No campo, desse modo, temos o centro ideal...

Indicando, prazeroso, as frondes balouçantes, acentuou: **41.3**

— Reina aqui a paz relativa e equilibrada da Natureza terrestre. Nem a selvageria da mata virgem, nem a sufocação dos fluidos humanos. O campo é nosso generoso caminho central, a harmonia possível, o repouso desejável.

Embalados ao pio de algumas juritis solitárias, repousamos algumas horas, magnificamente asilados no templo da Natureza.

Com as primeiras tonalidades do crepúsculo, Aniceto nos convidou a passeio rápido pelas imediações.

Reconhecia que estávamos muito mais bem-dispostos.

— Somente depois de nos locomovermos por alguns minutos, observei que nas vizinhanças havia grande quantidade de trabalhadores espirituais.

Em face das minhas interrogações, nosso mentor explicou bondosamente:

— O campo é também vasta oficina para os serviços de nossa colaboração ativa.

E, apontando os servidores, que iam e vinham, considerou:

— O reino vegetal possui cooperadores numerosos. Vocês, possivelmente, ignoram que muitos irmãos se preparam para o mérito de nova encarnação no mundo, prestando serviço aos reinos inferiores. O trabalho com o Senhor é uma escola viva, em toda parte.

Nesse momento, nossa atenção foi atraída por significativo movimento na estrada próxima.

Dirigimo-nos para lá, seguindo os passos de Aniceto, que parecia adivinhar o acontecimento.

Observei, então, um quadro interessante: um homem jazia por terra, numa poça de sangue, ao lado de pequeno veículo sustentado por um muar impaciente, dando mostras de grande inquietação. Dois companheiros encarnados prestavam socorro ao ferido, apressadamente. "É preciso conduzi-lo à fazenda sem perda de tempo", dizia um deles, aflito, "temo haja fraturado o crânio". O número de desencarnados que auxiliava o pequeno grupo, todavia, era muito grande.

41.4 Um amigo espiritual, que me pareceu o chefe, naquela aglomeração, recebeu Aniceto e a nós com deferência e simpatia, e explicou rapidamente a ocorrência. O carroceiro havia recebido uma patada de um burro e era necessário socorrer o ferido.

Serenada a situação, vi o referido superior hierárquico chamar um guarda do caminho, interpelando:

— Glicério, como permitiu semelhante acontecimento? Este trecho da estrada está sob sua responsabilidade direta.

O subordinado, respeitoso, considerou sensatamente:

— Fiz o possível por salvar este homem, que, aliás, é um pobre pai de família. Meus esforços foram improfícuos, pela imprudência dele. Há muito procuro cercá-lo de cuidados, sempre que passa por aqui; entretanto, o infeliz não tem o mínimo respeito pelos dons naturais de Deus. É de uma grosseria inominável para com os animais que o auxiliam a ganhar o pão. Não sabe senão gritar, encolerizar-se, surrar e ferir. Tem a mente fechada às sugestões do agradecimento. Não estima senão a praga e o chicote. Hoje, tanto perturbou o pobre muar que o ajuda, tanto o castigou, que pareceu mais animalizado... Quando se tornou quase irracional, pelo excesso de fúria e ingratidão, meu auxílio espiritual se tornou ineficiente. Atormentado pelas descargas de cólera do condutor, o burro humilde o atacou com a pata. Que fazer? Minha obrigação foi cumprida...

O superior, que ouvia atenciosamente as alegações, respondeu sem hesitar:

— Tem razão.

E como dirigisse o olhar a Aniceto, desejando aprovação, nosso orientador afirmou: **41.5**

— Auxiliemos o homem, quanto esteja em nossas mãos, cumpramos nosso dever com o bem, mas não desprezemos as lições. Esse trabalhador imprudente foi punido por si mesmo. A cólera é punida por suas consequências. Ao mal segue-se o mal. Se os seres inferiores, nossos irmãos no grande lar da vida, nos fornecem os valores do serviço, devemos dar-lhes, por nossa vez, os valores da educação. Ora, ninguém pode educar odiando, nem edificar algo de útil com a fúria e a brutalidade.

E, indicando o grupo que conduzia o ferido a uma casa próxima, concluiu imperturbável:

— Como homem comum, nosso pobre amigo sofrerá muitos dias, chumbado ao leito; entre as aflições dos familiares, demorar-se-á um tanto a restabelecer o equilíbrio orgânico; mas, como Espírito eterno, recebeu agora uma lição útil e necessária.

Altamente surpreendido, reparei na grande serenidade do nosso orientador e comecei a compreender que ninguém desrespeita a Natureza sem o doloroso choque de retorno, a todo tempo.

42
Evangelho no ambiente rural

    Apagados os comentários mais vivos, relativamente ao episódio desagradável, o superior hierárquico daquela grande turma de trabalhadores espirituais indagou do nosso orientador, com delicadeza: **42.1**
    — Nobre Aniceto, valendo-vos da oportunidade, poderíeis interpretar para nós outros alguma das lições evangélicas, ainda hoje?
    Aniceto aquiesceu pressuroso.
    Notei que o interesse a respeito do assunto era enorme.
    Com grande surpresa, vi que os servidores da gleba traziam ao estimado mentor um livro, que não tive dificuldades em identificar. Era um exemplar do Evangelho, que Aniceto abriu firmemente, como quem sabia onde estava a lição do momento.
    Fixando a página escolhida, começou a meditar, enquanto sublimada luz lhe aureolou a fronte. Houve profundo silêncio.

Todos os colaboradores demonstravam grande interesse pela palavra que se fazia. Tudo era de aspecto imponente e calmo na Natureza. Um rebanho bovino acercara-se de nós, atraído por forças magnéticas que não consegui compreender. Alguns muares humildes chegaram, igualmente, de longe. E as aves tranquilizaram-se nas frondes fartas, sem um pio. A única voz que toava, leve e branda, era a do vento, sussurrando harmonia e frescura. A paisagem não podia ser mais bela, vestida em ouro líquido do poente. Excetuada a rusticidade natural do quadro vivo, o ambiente sugeria recordações fiéis dos verdes salões de Nosso Lar.

42.2 Aniceto, mergulhando o olhar no Sagrado Livro, leu em voz alta os versículos 19, 20 e 21 do capítulo 8, da epístola aos romanos:

— Porque a ardente expectação da criatura espera a manifestação dos filhos de Deus. Porque a criação ficou sujeita à vaidade, não por sua vontade, mas por causa do que a sujeitou, na esperança de que também a mesma criatura será libertada da servidão da corrupção, para a liberdade da glória dos filhos de Deus.

Em seguida, refletiu alguns instantes e comentou, com evidente inspiração:

— Irmãos, recebamos a bênção do campo, louvando o amor e a sabedoria de Nosso Pai! Exaltemos o Soberano Espírito de Vida que sopra em nós a força eterna da incessante renovação! Ponderemos a palavra do Apóstolo da Gentilidade, para extrair-lhe o conteúdo divino!... Há milênios a Natureza espera a compreensão dos homens. Não se tem alimentado tão somente de esperança, mas vive em ardente expectação, aguardando o entendimento e o auxílio dos Espíritos encarnados na Terra, mais propriamente considerados filhos de Deus. Entretanto, as forças naturais continuam sofrendo a opressão de todas as vaidades humanas. Isso, porém, ocorre, meus amigos, porque também o Senhor tem esperança na libertação dos seres escravizados na crosta, para que se verifique igualmente a liberdade na glória do homem. Conheço-vos de perto os sacrifícios, abnegados trabalhadores espirituais do solo terrestre! Muitos de vós aqui permaneceis, como em múltiplas regiões do planeta, ajudando a companheiros encarnados, acorrentados às ilusões da ganância de ordem material. Quantas vezes vosso auxílio é convertido em baixas explorações no campo dos negócios terrestres? A maioria dos cultivadores da terra tudo exige sem nada oferecer. Enquanto zelais, cuidadosamente, pela manutenção das bases da vida, tendes visto a civilização funcionando qual vigorosa máquina de triturar, convertendo-se os homens, nossos irmãos, em pequenos Moloques de pão, carne e vinho, absolutamente mergulhados na viciação dos sentimentos e nos excessos da alimentação, despreocupados do imenso débito para com a Natureza amorável e generosa. Eles oprimem as criaturas inferiores, ferem as forças benfeitoras da vida, são ingratos para com as fontes do bem, atendem às indústrias ruralistas, mais pela vaidade e ambição de ganhar, que lhes são próprias, que pelo espírito de amor e utilidade, mas também não passam de infelizes servos das paixões desvairadas. Traçam programas de riqueza mentirosa, que lhes constituem a ruína; escrevem tratados de política econômica, que redundam em guerra destruidora; desenvolvem o comércio do ganho indébito, colhendo as complicações internacionais que dão curso à miséria; dominam os mais fracos e os exploram, acordando, porém, mais tarde, entre os monstros do ódio! É para eles, nossos semelhantes encarnados na crosta, que devemos voltar igualmente os olhos, com espírito de tolerância e fraternidade. Ajudemo-los ainda, agora e sempre! Não esqueçamos que o Senhor está esperando pelo futuro deles! Escutemos os gemidos da criação, pedindo a luz do raciocínio humano, mas não olvidemos, também, a lágrima desses escravos da corrupção, em cujas fileiras permanecíamos até ontem, auxiliando-os a despertar a consciência divina para a vida eterna! Ainda que rodeiem o campo de vaidades e insolências, auxiliemo-los ainda. O Senhor reserva acréscimos sublimes de valores evolutivos aos seres sacrificados. Não olvidará Ele a árvore útil, o animal exterminado, o ser humilde que se consumiu em benefício de outro ser! Cooperemos, por nossa vez, no despertar dos homens, nossos irmãos, relativamente ao nosso débito para com a Natureza maternal. Sempre, ao voltarmos à crosta, envolvendo-nos em fluidos do círculo carnal, levamos muito longe a aquisição de nitrogênio. Convertemos em tragédia mundial o que poderia constituir a procura serena e edificante. Como sabemos, organismo algum poderá viver na Terra sem essa substância, e embora se locomova, no oceano de nitrogênio, respirando-o na média de mil litros por dia, não pode o homem, como nenhum ser vivo do planeta, apropriar-se do nitrogênio do ar. Por enquanto, não permite o Senhor a criação de células nos organismos viventes do nosso mundo, que procedam à absorção espontânea desse elemento de importância primordial na manutenção da vida, como acontece ao oxigênio comum. Somente as plantas, infatigáveis operárias do orbe, conseguem retirá-lo do solo, fixando-o para o entretenimento da vida noutros seres. Cada grão de trigo é uma bênção nitrogenada para sustento das criaturas, cada fruto da terra é uma bolsa de açúcar e albumina, repleta do nitrogênio indispensável ao equilíbrio orgânico dos seres vivos. Todas as indústrias agropecuárias não representam, na essência, senão a procura organizada e metódica do precioso elemento da vida. Se o homem conseguisse fixar dez gramas, aproximadamente, dos mil litros de nitrogênio que respira diariamente, a crosta estaria transformada no paraíso verdadeiramente espiritual. Mas, se muito nos dá o Senhor, é razoável que exija a colaboração do nosso esforço na construção da nossa própria felicidade. Mesmo em Nosso Lar, ainda estamos distantes da grande conquista do alimento espontâneo pelas forças atmosféricas, em caráter absoluto. E o homem, meus amigos, transforma a procura de nitrogênio em movimento de paixões desvairadas, ferindo e sendo ferido, ofendendo e sendo ofendido, escravizando e tornando-se cativo, segregado em densas trevas! Ajudemo-lo a compreender, para que se organize uma era nova. Auxiliemo-lo a amar a terra, antes de explorá-la no sentido inferior, a valer-se da cooperação dos animais, sem os recursos do extermínio! Nessa época, o matadouro será convertido em local de cooperação, onde o homem atenderá aos seres inferiores e onde estes atenderão às necessidades do homem, e as árvores úteis viverão em meio do respeito que lhes é devido. Nesse tempo sublime, a indústria glorificará o bem e, sentindo-nos o entendimento, a boa vontade e a veneração às Leis divinas, permitir-nos-á o Senhor, pelo menos em parte, a solução do problema técnico de fixação do nitrogênio da atmosfera. Ensinemos aos nossos irmãos que a vida não é um roubo incessante, em que a planta lesa o solo, o animal extermina a planta e o homem assassina o animal, mas um movimento de permuta divina, de cooperação generosa, que nunca perturbaremos sem grave dano à própria condição de criaturas responsáveis e evolutivas! Não condenemos! Auxiliemos sempre!

42.5

A assembleia, tanto quanto nós, estava sob forte impressão.

Aniceto calou-se, contemplou com simpatia os animais e as aves próximas, como se estivesse a endereçar-lhes profundos pensamentos de amor e, a seguir, fechou o Livro Sagrado, com estas palavras:

— Observamos com o Evangelho que a criação aguarda ansiosamente a manifestação dos filhos de Deus encarnados! Concordamos que as criaturas inferiores têm suportado o peso de iniquidades imensas! Continuemos em auxílio delas, mas não nos percamos em vãs contendas. Os homens esperam também a nossa manifestação espiritual! Desse modo, ajudemos a todos, no capítulo do grande entendimento.

43
Antes da reunião

Os preparativos espirituais para a reunião eram ativos e complexos. 43.1

Chegamos de regresso à residência de dona Isabel, quando faltavam poucos minutos para as dezoito horas e já o salão estava repleto de trabalhadores em movimento.

Observando, com estranheza, determinadas operações, fiz algumas perguntas ao nosso orientador, que me esclareceu com bondade:

— Realizar uma sessão de trabalhos espirituais eficientes não é coisa tão simples. Quando encontramos companheiros encarnados, entregues ao serviço com devotamento e bom ânimo, isentos de preocupação, de experiências malsãs e inquietações injustificáveis, mobilizamos grandes recursos a favor do êxito necessário. Claro que não podemos auxiliar atividades infantis, nesse terreno. Quem não deseje cuidar de semelhantes obrigações, com a seriedade devida, poderá esperar fatalmente pelos espíritos menos sérios, porquanto a morte física não significa renovação para quem não procurou renovar-se. Onde se reúnam almas levianas, aí estará igualmente a leviandade. No caso de Isabel, porém, há que lhe auxiliar o esforço edificante. Em todos os setores evolutivos, é natural que o trabalhador sincero e eficiente receba recursos sempre mais vastos. Onde se encontre a atividade do bem, permanecerá a colaboração espiritual de ordem superior.

43.2 Calara-se o bondoso amigo.

Continuei reparando as laboriosas atividades de alguns irmãos que dividiam a sala, de modo singular, utilizando longas faixas fluídicas. Aniceto veio em socorro da minha perplexidade, explicando atencioso:

— Estes amigos estão promovendo a obra de preservação e vigilância. Serão trazidas aos trabalhos de hoje algumas dezenas de sofredores e torna-se imprescindível limitar-lhes a zona de influenciação neste templo familiar. Para isso, nossos companheiros preparam as necessárias divisões magnéticas.

Observei, admirado, que eles magnetizavam o próprio ar.

Nosso instrutor, porém, informou gentil:

— Não se impressione, André. Em nossos serviços, o magnetismo é força preponderante. Somos compelidos a movimentá-lo em grande escala.

E, sorrindo, concluiu:

— Já os sacerdotes do antigo Egito não ignoravam que, para atingir determinados efeitos, é indispensável impregnar a atmosfera de elementos espirituais, saturando-a de valores positivos da nossa vontade. Para disseminar as luzes evangélicas aos desencarnados, são precisas providências variadas e complexas, sem o que tudo redundaria em aumento de perturbações. Este núcleo é pequenino, considerado do ponto de vista material, mas apresenta grande significação para nós outros. É preciso vigiar, não o esqueçamos.

Enquanto as atividades de preparação espiritual seguiram intensas, dona Isabel e Joaninha, noutra ordem de serviço, chegaram ao salão, dispondo arranjos diferentes. Usaram, largamente, a vassoura e o espanador. Revestiram a mesa de toalha muito alva e trouxeram pequenos recipientes de água pura.

A uma ordem de um dos superiores daquele templo doméstico, espalharam-se os vigilantes em derredor da moradia singela. Nos menores detalhes, estava a nobre supervisão dos benfeitores. Em tudo a ordem, o serviço e a simplicidade. 43.3

Logo após alguns minutos além das dezoito horas, começaram a chegar os necessitados da esfera invisível ao homem comum.

Se fosse concedida à criatura vulgar uma vista de olhos, ainda que ligeira, sobre uma assembleia de Espíritos desencarnados, em perturbação e sofrimento, muito se lhes modificariam as atitudes na vida normal. Nessa afirmativa, devemos incluir, igualmente, a maioria dos próprios espiritistas, que frequentam as reuniões doutrinárias, alheios ao esforço autoeducativo, guardando da espiritualidade uma vaga ideia, na preocupação de atender ao egoísmo habitual. O quadro de retificações individuais, após a morte do corpo, é tão extenso e variado que não encontramos palavras para definir a imensa surpresa.

Aqueles rostos esqueléticos causavam compaixão. Chegavam ao recinto aquelas entidades perturbadas, em pequenos magotes, seguidas de orientadores fraternais. Pareciam cadáveres erguidos do leito de morte. Alguns se locomoviam com grande dificuldade. Tínhamos diante dos olhos uma autêntica reunião de "coxos e estropiados", segundo o símbolo evangélico.

— Em maioria — esclareceu Aniceto — são irmãos abatidos e amargurados, que desejam a renovação sem saber como iniciar a tarefa. Aqui, poderemos observar apenas sofredores dessa natureza, porque o santuário familiar de Isidoro e Isabel não está preparado para receber entidades deliberadamente perversas. Cada agrupamento tem seus fins.

43.4 Com efeito, os recém-chegados estampavam profunda angústia na expressão fisionômica. As senhoras em pranto eram numerosas. O quadro consternava. Algumas entidades mantinham as mãos no ventre, calcando regiões feridas. Não eram poucas as que traziam ataduras e faixas.

— Muitos — disse-nos o mentor — não concordam ainda com as realidades da morte corporal. E toda essa gente, de modo geral, está prisioneira da ideia de enfermidade. Existem pessoas, e vocês, como médicos, as terão conhecido largamente, que cultivam as moléstias com verdadeira volúpia. Apaixonam-se pelos diagnósticos exatos, acompanham no corpo, com indefinível ardor, a manifestação dos indícios mórbidos, estudam a teoria da doença de que são portadoras, como jamais analisam um dever justo no quadro das obrigações diárias, e quando não dispõem das informações nos livros, estimam a longa atenção dos médicos, os minuciosos cuidados da enfermagem e as compridas dissertações sobre a enfermidade de que se constituem voluntárias prisioneiras. Sobrevindo a desencarnação, é muito difícil o acordo entre elas e a verdade, porquanto prosseguem mantendo a ideia dominante. Às vezes, no fundo, são boas almas, dedicadas aos parentes do sangue e aproveitáveis na esfera restrita de entendimento a que se recolhem, mas, no entanto, carregadas de viciação mental por muitos séculos consecutivos.

E num gesto diferente, nosso instrutor considerou:

— Demoramo-nos todos a escapar da velha concha do individualismo. A visão da universalidade custa preço alto e nem sempre estamos dispostos a pagá-lo. Não queremos renunciar ao gosto antigo, fugimos aos sacrifícios louváveis. Nessas circunstâncias, o mundo que prevalece para a alma desencarnada, por longo tempo, é o reino pessoal de nossas criações inferiores. Ora, desse modo, quem cultivou a enfermidade com adoração submeteu-se-lhe ao império. É lógico que devemos, quando encarnados, prestar toda a assistência ao corpo físico, que funciona, para nós, como vaso sagrado, mas remediar a saúde e viciar a mente são duas atitudes essencialmente antagônicas entre si.

A palestra era magnificamente educativa; entretanto, o número crescente de entidades necessitadas chamava-nos à cooperação. Muitas choravam baixinho, outras gemiam em voz mais alta. **43.5**

Depois de longa pausa, Aniceto advertiu:

— Vamos ao serviço. Para nós, cooperadores espirituais, os trabalhos já começaram. A prece e o esforço dos companheiros encarnados representarão o termo desta reunião de assistência e iluminação em Jesus Cristo.

44
Assistência

A paisagem de sofrimento, desdobrada aos nossos olhos,   44.1
lembrava-me o ambiente das Câmaras de Retificação.
Entendeu-se Aniceto com Isidoro e falou resoluto:
— Mãos à obra! Distribuamos alguns passes de reconforto!
— Mas — objetei — estarei preparado para trabalho dessa natureza?
— Por que não? — indagou o instrutor em voz firme. — Toda competência e especialização no mundo, nos setores de serviço, constituem o desenvolvimento da boa vontade. Bastam o sincero propósito de cooperação e a noção de responsabilidade para que sejamos iniciados, com êxito, em qualquer trabalho novo.
Semelhantes afirmativas estimularam-me o coração.
Recordei Narcisa, a dedicada irmã dos infortunados, que permanecia, em Nosso Lar, quase sempre sem repouso, como prisioneira do sacrifício. Pareceu-me, ainda, ouvir-lhe a voz fraterna e carinhosa: "André, meu amigo, nunca te negues, quanto possível, a auxiliar os que sofrem. Ao pé dos enfermos, não olvides que o melhor remédio

é a renovação da esperança; se encontrares os falidos e os derrotados da sorte, fala-lhes do divino ensejo do futuro; se fores procurado, algum dia, pelos espíritos desviados e criminosos, não profiras palavras de maldição. Anima, eleva, educa, desperta, sem ferir os que ainda dormem. Deus opera maravilhas por intermédio do trabalho de boa vontade!". Sem mais hesitação, dispus-me ao serviço.

44.2   Aniceto designou-me um grupo de seis enfermos espirituais, acentuando:

— Aplique seus recursos, André. Com a nossa colaboração, os amigos em tarefa nesta casa poderão atender a responsabilidades diferentes e também imperiosas.

Os mais apagados trabalhadores do bem rejubilem-se pela exemplificação nas lutas comuns e edifiquem-se no Senhor Jesus, porque nenhuma de suas manifestações fica perdida no espaço e no tempo. Naquele instante em que fora chamado a prestar auxílios reais, eu não recorria aos meus cabedais científicos, não me reportava tão somente à técnica da medicina oficial, a que me filiara no mundo, mas recordava aquela Narcisa humilde e simples, das Câmaras de Retificação, enfermeira devotada e carinhosa, que conseguia muito mais com amor do que com medicações.

Aproximei-me duma senhora profundamente abatida, lembrando o exemplo da generosa amiga de Nosso Lar, entendendo que não deveria socorrer utilizando apenas a firmeza e a energia, mas também a ternura e a compreensão.

— Minha irmã — disse, procurando captar-lhe a confiança —, vamos ao passe reconfortador.

— Ai! ai! — respondeu a interpelada. — Nada vejo, nada vejo! Ah! o tracoma! Infeliz que sou! E me falam em morte, em vida diferente... Como recuperar a vista?! Quero ver, quero ver!...

— Calma — respondi encorajado —, não confia no poder de Jesus? Ele continua curando cegos, iluminando-nos o caminho, guiando-nos os passos!

Somente mais tarde lembrei que, naquele instante, olvidara a curiosidade doentia, não pensei na impressão deixada pelo tracoma naquele organismo espiritual, nem me preocupei com a expressão propriamente científica do fenômeno, vendo, apenas, à minha frente, uma irmã sofredora e necessitada. E, à medida que me dispunha a observar a prática do amor fraternal, uma claridade diferente começou a iluminar e a aquecer-me a fronte.

44.3

Lembrando a influência divina de Jesus, iniciei o passe de alívio sobre os olhos da pobre mulher, reparando que enorme placa de sombra lhe pesava na fronte. Pronunciando palavras de animação, às quais ligava a melhor essência de minhas intenções, concentrei minhas possibilidades magnéticas de auxílio nessa zona perturbada. Dentro de alguns instantes, a desencarnada desferiu um grito de espanto.

— Vejo! Vejo! — exclamou, entre o assombro e a alegria. — Grande Deus! Grande Deus!

E, ajoelhando-se, num movimento instintivo para render graças, dirigia-me a palavra, comovidamente:

— Quem sois vós, emissário do bem?

Dominava-me profunda emoção, que não conseguia sofrear. Confundia-me a bondade do Eterno. Quem era eu para curar alguém? Mas a alegria daquela entidade, libertada das trevas, afirmava a ocorrência, na qual não queria acreditar. A luz daquela dádiva como que mostrava mais fortemente o fundo escuro de minhas imperfeições individuais e o pranto inundou-me as faces, sem que pudesse retê-lo nos recônditos mananciais do coração. Enquanto a enferma espiritual se desfazia em lágrimas de louvor, também eu me absorvia numa onda de pensamentos novos. O acontecimento surpreendia-me. Desejava socorrer o doente próximo e, contudo, estava enlaçado em singular deslumbramento íntimo. Aniceto, porém, aproximou-se delicadamente e falou em voz baixa:

44.4   — André, a excessiva contemplação dos resultados pode prejudicar o trabalhador. Em ocasiões como esta, a vaidade costuma acordar dentro de nós, fazendo-nos esquecer o Senhor. Não olvides que todo o bem procede dele, que é a luz de nossos corações. Somos seus instrumentos nas tarefas de amor. O servo fiel não é aquele que se inquieta pelos resultados, nem o que permanece enlevado na contemplação deles, mas justamente o que cumpre a vontade do Senhor e passa adiante.

Aquelas palavras não poderiam ser mais significativas. O generoso mentor voltou ao serviço a que se entregara, junto de outros irmãos, e, valendo-me do amoroso aviso, dirigi-me à reconhecida senhora, acentuando:

— Minha amiga, agradeça a Jesus e não a mim, que sou apenas obscuro servidor. Quanto ao mais, não se impressione em demasia com a visão dos aspectos exteriores; volte o poder visual para dentro de si mesma, para que possa consagrar ao Senhor da Vida os sublimes dons da visão.

Notei que a ouvinte se surpreendia com as minhas palavras, que lhe pareceram, talvez, inoportunas e transcendentes, mas, novamente firme na compreensão do dever, acerquei-me do enfermo próximo. Tratava-se dum infeliz irmão que falecera na Gamboa, vitimado pelo câncer. Toda a região facial apresentava-se com horrífico aspecto. Apliquei os passes de reconforto, ministrando pensamentos e palavras de bom ânimo, e reparei que o pobrezinho se sentia tomado de considerável melhora. Prometi-lhe interesse amigo, a fim de internar-se em alguma casa espiritual de tratamento, recomendando que preparasse a vida mental para colher semelhante benefício, oportunamente. Em seguida, atendi a dois ex-tuberculosos do Encantado, a uma senhora que desencarnara em Piedade, em consequência de um tumor maligno, e a um rapaz de Olaria, que se desprendera num choque operatório. Nenhum destes quatro últimos, contudo, manifestou qualquer alívio. Persistiam as mesmas indisposições orgânicas, os mesmos fenômenos psíquicos de sofrimento.

Terminada a tarefa que me fora cometida, reuni-me ao nosso instrutor e Vicente, que me esperavam a um canto da sala. **44.5**

— As atividades de assistência — exclamou Aniceto, cuidadoso — se processam conforme observam aqui. Alguns se sentem curados, outros acusam melhoras, e a maioria parece continuar impermeável ao serviço de auxílio. O que nos deve interessar, todavia, é a semeadura do bem. A germinação, o desenvolvimento, a flor e o fruto pertencem ao Senhor.

Vicente, que se mostrava fortemente impressionado, observou:

— O número de entidades perturbadas espanta. Vemo-las, em diversos graus de desequilíbrio, desde Nosso Lar até a crosta.

Aniceto sorriu e falou em tom grave:

— Devemos esmagadora percentagem desses padecimentos à falta de educação religiosa. Não me refiro, porém, àquela que vem do sacerdócio ou que parte da boca de uma criatura para os ouvidos de outra. Refiro-me à educação religiosa, íntima e profunda, que o homem nega sistematicamente a si mesmo.

45
Mente enferma

Observando e trabalhando sempre, Aniceto considerou: **45.1**
— Aqui não comparecem apenas os desencarnados enfermos. Reparem os encarnados, igualmente. Entre o nosso círculo e a assembleia dos irmãos corporificados, a percentagem de trabalhadores em relação ao número de doentes e necessitados é quase a mesma.

Designando um cavalheiro aprumado e bem-posto, que se mantinha em palestra com o senhor Bentes, doutrinador naquele grupo, acrescentou:

— Vejam este amigo rodeado de sombra, em conversação com o colaborador de nossa irmã Isabel. Ouçam-lhe a palavra e, depois, ajuízem.

Com efeito, o cavalheiro indicado rodeava-se de pequenas nuvens, mormente ao longo do cérebro.

Fixando nele a atenção, eu o ouvia distintamente:

— Há muito — asseverava com ênfase — frequento as reuniões espiritistas, à procura de alguma coisa que me satisfaça; no entanto — e sorriu irônico —, ou a minha infelicidade é maior que a dos outros ou estamos diante de mistificação mundial.

45.2 Atento à respeitosa atitude do orientador encarnado, prosseguia orgulhoso:

— Tenho estudado muitíssimo, não me furtando ao crivo da razão rigorosa. Já devorei extensa literatura relativa à sobrevivência humana e, todavia, nunca obtive uma prova. O Espiritismo está cheio de teses sedutoras, mas o terreno se mostra cheio de dúvidas. A obra de Kardec, inegavelmente, representa extraordinária afirmação filosófica; entretanto, encontramos com Richet um acervo de perspectivas novas. A metapsíquica corrigiu muitos voos da imaginação, trazendo à análise pública observações mais profundas sobre os desconhecidos poderes do homem. No exame dessas verdades científicas, o mediunismo foi reduzido em suas proporções. Precisamos dum movimento de racionalização, ajustando os fenômenos a critério adequado. Todavia, meu caro Bentes, vivemos em paisagem de mistificações sutis, distantes das demonstrações exatas.

A essa altura, o interlocutor, muito calmo e seguro na fé, interveio, considerando:

— Concordo, Dr. Fidélis, em que o Espiritismo não deva fugir a toda espécie de considerações sérias; contudo, creio que a Doutrina é um conjunto de verdades sublimes, que se dirigem, de preferência, ao coração humano. É impossível auscultar-lhe a grandeza divina com a nossa imperfeita faculdade de observação, ou recolher-lhe as águas puras com o vaso sujo dos nossos raciocínios viciados nos erros de muitos milênios. Ao demais, temos aprendido que a revelação de ordem divina não é trabalho mecânico em leis de menor esforço. Lembremos que a missão do Evangelho, com o Mestre, foi precedida por um esforço humano de muitos séculos. Antes de morrerem os cristãos nos circos do martírio, quantos precursores de Jesus foram sacrificados?

Primeiramente, devemos construir o receptáculo; em seguida, alcançaremos a bênção. A *Bíblia*, sagrado livro dos cristãos, é o encontro da experiência humana, cheia de suor e lágrimas, consubstanciada no Velho Testamento, com a resposta celestial, sublime e pura, no Evangelho de Nosso Senhor.

O cavalheiro, que respondia pelo nome de Dr. Fidélis, sorria de modo vago, entre a ironia e a vaidade ofendida. **45.3**

Bentes, contudo, não perdeu a oportunidade e continuou:

— Se todo serviço sério da existência humana é alguma coisa de sagrado aos nossos olhos, que dizer da expressão divina no trabalho planetário? E considerando a essência do serviço na organização do mundo, que seria de nós se um punhado de Espíritos amigos e sábios nos arrebatassem à visão ampla de orbes superiores, impelindo-nos para eles, precipitadamente, tão só pelo fato de nos dispensarem, como indivíduos, uma estima santa? Estaríamos preparados para a mudança radical? Saberemos o que venha a ser a vida num orbe superior? Teremos trabalhado bastante para entender os divinos desígnios? E a Terra? E as nossas milenárias dívidas para com o planeta que nos tem suportado as imperfeições? Como residir nos andares mais altos, sem drenar os pântanos que jazem embaixo? Estas considerações tornam-se imprescindíveis no exame de argumentação como a sua, porquanto não poderemos ajuizar, com precisão, as correntes generosas de um rio caudaloso, observando tão somente as gotas recolhidas no dedal das nossas limitações.

O pesquisador renitente acentuou a expressão irônica do rosto e revidou:

— Você fala como homem de fé, esquecendo que meu esforço se dirige à razão e à ciência. Quero referir-me às ilações inevitáveis da consulta livre, às farsas mediúnicas de todos os tempos. Você está informado de que cientistas inúmeros examinaram as fraudes dos mais célebres aparelhos do mediunismo, na

Europa e na América. Ora, que esperar de uma doutrina confiada a mistificadores continentais?

45.4   Bentes respondeu, muito sereno e ponderado:

— Está enganado, meu amigo. Estaríamos laborando em erro grave, se colocássemos toda a responsabilidade doutrinária nas organizações mediúnicas. Os médiuns são simples colaboradores do trabalho de espiritualização. Cada um responderá pelo que fez das possibilidades recebidas, como também nós seremos compelidos a contas necessárias, algum dia. Não poderíamos cometer o absurdo de atribuir a concentração de todas as verdades divinas somente na cabeça de alguns homens, candidatos a novos cultos de adoração. A Doutrina, Dr. Fidélis, é uma fonte sublime e pura, inacessível aos pruridos individualistas de qualquer de nós, fonte na qual cada companheiro deve beber a água da renovação própria. Quanto às fraudes mediúnicas a que se refere, é forçoso reconhecer que a pretensa infalibilidade científica tem procurado converter os mais nobres colaboradores dos desencarnados em grandes nervosos ou em simples cobaias de laboratório. Os pesquisadores, atualmente batizados como metapsiquistas, são estranhos lavradores que enxameiam no campo de serviço sem nada produzirem de fundamentalmente útil. Inclinam-se para a terra, contam os grãos de areia e os vermes invasores, determinam o grau de calor e estudam a longitude, observam as disposições climáticas e anotam as variações atmosféricas, mas, com grande surpresa para os trabalhadores sinceros, desprezam a semente.

O interlocutor deixou de sorrir e observou:

— Vamos ver, vamos ver... Espero a mensagem dos meus com os sinais iniludíveis da sobrevivência, após a morte...

Aniceto nos tocou de leve e falou:

— Repararam como este homem traz a mente enfermiça? É um dos curiosos doentes, encarnados. Tem vasta cultura e, todavia, como traz o sentimento envenenado, tudo quanto lhe cai nos raciocínios participa da geral intoxicação. É pesquisador de superfície, como ocorre a muita gente. Tudo espera dos outros, examina seu semelhante, mas não ausculta a si mesmo. Quer a realização divina sem o esforço humano; reclama a graça, formulando a exigência; quer o trigo da verdade, sem participar da semeadura; espera a tranquilidade pela fé, sem dar-se ao trabalho das obras; estima a ciência, sem consultar a consciência; prefere a facilidade, sem filiar-se à responsabilidade, e, vivendo no torvelinho de continuadas libações, agarrado aos interesses inferiores e à satisfação dos sentidos físicos, em caráter absoluto, está aguardando mensagens espirituais...

Estávamos admirados ante as conclusões interessantes do instrutor amigo. **45.5**

Vicente, que se mantinha sob forte impressão, perguntou:

— Afinal de contas, que deseja este homem?

Aniceto sorriu e respondeu:

— Também ele teria imensas dificuldades para responder. Para nós outros, Vicente, o Dr. Fidélis é um desses enfermos que ainda não se dispuseram a procurar o alívio, pelo demasiado apego à sensação.

46
Aprendendo sempre

Segundo informações de Aniceto, faltava mais de uma hora para o início da preleção evangélica, sob a responsabilidade do senhor Bentes, na esfera dos frequentadores encarnados, mas o movimento de serviço espiritual tornara-se intensíssimo. 46.1

Reuniam-se ali, para olhos humanos, trinta e cinco individualidades terrestres e, no entanto, em nosso círculo, o número de necessitados excedia de duas centenas, porquanto, agora, a assembleia estava acrescida de muitas entidades que formavam o séquito perturbador da maioria dos aprendizes ali congregados. Para elas, organizou-se uma divisão especial, que me pareceu constituída por elementos de maior vigilância, visto chegarem, quase obrigatoriamente, acompanhando os que buscavam o socorro espiritual, sem a indicação dos orientadores em serviço nas vias públicas.

A movimentação era enorme e o tempo era escasso para qualquer observação, sem movimento ativo. Todos os servidores da casa se mantinham a postos, desenvolvendo a melhor atenção.

Reparei que num ângulo da grande mesa havia numerosas indicações de receituário e assistência. Os mais variados nomes ali se enfileiravam. Muitas pessoas pediam conselhos médicos, orientação, assistência e passes. Quatro facultativos espirituais se moviam diligentes, e, secundando-lhes o esforço humanitário, quarenta cooperadores diretos iam e vinham, recolhendo informações e enriquecendo pormenores.

46.2 Aproximamo-nos do grande número de papéis nominados, e, enquanto curiosamente buscava examiná-los, Aniceto explicou:

— Temos aqui a indicação das pessoas que se afirmam necessitadas de amparo e socorro imediato.

— Mas recebem elas tudo quanto pedem? — indagou Vicente, curioso.

Nosso mentor sorriu e respondeu:

— Recebem o que precisam. Muitos solicitam a cura do corpo, mas somos forçados a estudar até que ponto lhes podemos ser úteis, no particularismo dos seus desejos; outros reclamam orientações várias, obrigando-nos a equilibrar nossa cooperação, de modo a lhes não tolher a liberdade individual. A existência terrestre é um curso ativo de preparação espiritual e, quase sempre, não faltam na escola os alunos ociosos, que perdem o tempo em vez de aproveitá-lo, ansiosos pelas realizações mentirosas do menor esforço. Desse modo, no capítulo das orientações, a maior parte dos pedidos é desassisada. A solicitação de terapêutica para a manutenção da saúde física, pelos que de fato se interessem pelo concurso espiritual, é sempre justa; todavia, no que concerne a conselhos para a vida normal, é imprescindível muita cautela de nossa parte, diante das requisições daqueles que se negam voluntariamente aos testemunhos de conduta cristã. O Evangelho está cheio de sagrados roteiros espirituais, e o discípulo, pelo menos diante da própria consciência, deve considerar-se obrigado a conhecê-los.

O instrutor amigo fez pequena pausa, mudou a inflexão de voz, como para acentuar fortemente as palavras, e considerou:

— Possivelmente, vocês objetarão que toda pergunta exige resposta e todo pedido merece solução; entretanto, nesse caso de esclarecer determinadas solicitações dos companheiros encarnados, devemos recorrer, muitas vezes, ao silêncio. Como recomendar humildade àqueles que a pregam para os outros; como ensinar a paciência aos que a aconselham aos semelhantes, e como indicar o bálsamo do trabalho aos que já sabem condenar a ociosidade alheia? Não seria contrassenso? Ler os regulamentos da vida para os cegos e para os ignorantes é obra meritória, mas repeti-los aos que já se encontram plenamente informados, não será menosprezo ao valor do tempo? Alma alguma, nas diversas confissões religiosas do Cristianismo, recebe notícias de Jesus sem razão de ser. Ora, se toda condição de trabalho edificante traduz compromisso da criatura, todo conhecimento do Cristo traduz responsabilidade. Cada aprendiz do Mestre, portanto, está no dever de observar a consciência, conferindo-lhe os alvitres profundos com as disposições evangélicas.

Vicente, que escutava com grande interesse, aventou: **46.3**

— No entanto, ousaria lembrar os que formulam semelhantes pedidos levianamente...

— Sim — elucidou Aniceto, sorrindo —, mas nós não poderemos copiar-lhes o impulso. Os desencarnados e os encarnados que ainda abusam das possibilidades do intercâmbio entre as esferas visíveis e invisíveis ao homem comum pagarão alto preço pela invigilância.

— Neste caso — perguntei respeitoso —, como corresponder aos pedidos de orientação?

— Alguns, raros — esclareceu nosso orientador —, merecem o concurso da nossa elucidação verbal, na hipótese de se referirem aos interesses eternos do espírito, quando isso nos seja possível; entretanto, quase sempre é indispensável nada responder de maneira direta, auxiliando os interessados na pauta de nossos recursos, em silêncio, mesmo porque não temos grande tempo para relembrar a irmãos encarnados certas obrigações que lhes não deviam escapar da memória, para felicidade de si mesmos.

46.4 Calou-se por momentos o bondoso instrutor, considerando em seguida, interessado em nos subtrair quaisquer dúvidas:

— Muitas entidades desencarnadas estimam o fornecimento de palpites para as diversas situações e dificuldades terrestres, mas esses pobres amigos estacionam desastradamente em questões subalternas, incapazes de uma visão mais alta, em face dos horizontes infinitos da vida eterna, convertendo-se em meros escravos de mentalidades inferiores, encarnadas na Terra. Esquecem que o nosso interesse imediato, agora, deve ser, acima de todos, aquele que se refira à Espiritualidade superior. Nossos irmãos inquietos, que forneçam palpites a preguiçosas mentes encarnadas, sobre assuntos referentes à responsabilidade justa e necessária do homem, devem fazê-lo de própria conta.

— Que acontece, então? – perguntou Vicente, curioso.

Nosso mentor, contudo, respondeu com outra pergunta:

— Que acontece ao homem de responsabilidade que se põe a brincar?

Nesse instante, um dos clínicos espirituais, aproximando-se, foi gentilmente saudado por Aniceto, que lhe disse, depois de apresentar-nos:

— Disponha da nossa colaboração humilde. Aqui estamos na qualidade de médicos itinerantes, prontos ao concurso ativo.

— Vêm de Nosso Lar? — indagou o novo companheiro, respeitosamente.

— Sim — respondeu Aniceto, prestativo.

— Pois bem — considerou ele —, se possível, estimarei receber-lhes o auxílio, após a reunião, para dois casos urgentes. Trata-se de uma jovem desencarnada hoje e de um agonizante, meu amigo.

— Sem dúvida — acentuou nosso orientador, solícito —, aguardaremos suas indicações.

47
No trabalho ativo

A interpretação de Bentes, obedecendo à inspiração de um 47.1
emissário de nobre posição, presente à assembleia, era recebida
com respeito geral, no círculo das entidades desencarnadas.

Na esfera dos encarnados, porém, não se notava o mesmo traço de harmonia. Observava-se apreciável instabilidade de pensamento. A expectativa ansiosa dos presentes perturbava a corrente vibratória. De quando em quando, surpreendíamos determinados desequilíbrios, que afetavam, particularmente, a organização mediúnica de dona Isabel e a posição receptiva do comentarista, que parecia perder "o fio das ideias", tal qual se diria na linguagem comum. Colaboradores ativos restabeleciam o ritmo, quanto possível. Reparamos que alguns irmãos encarnados se mantinham irrequietos em demasia. Mormente os mais novos em conhecimentos doutrinários exibiam enorme irresponsabilidade. A mente lhes vagava muito longe dos comentários edificantes. Viam-se-lhes, distintamente, as imagens mentais. Alguns se prendiam aos quefazeres domésticos, outros se impacientavam por não lograrem a realização imediata dos propósitos que os haviam levado até ali.

47.2   Aniceto, que não perdia ocasião de prestar-nos esclarecimentos novos, considerou discreto:

— Muitos estudiosos do Espiritismo se preocupam com o problema da concentração, em trabalhos de natureza espiritual. Não são poucos os que estabelecem padrão ao aspecto exterior da pessoa concentrada, os que exigem determinada atitude corporal e os que esperam resultados rápidos nas atividades dessa ordem. Entretanto, quem diz concentrar, forçosamente, se refere ao ato de congregar alguma coisa. Ora, se os amigos encarnados não tomam a sério as responsabilidades que lhes dizem respeito, fora dos recintos de prática espiritista, se, porventura, são cultores da leviandade, da indiferença, do erro deliberado e incessante, da teimosia, da inobservância interna dos conselhos de perfeição cedidos a outrem, que poderão concentrar nos momentos fugazes de serviço espiritual? Boa concentração exige vida reta. Para que os nossos pensamentos se congreguem uns aos outros, fornecendo o potencial de nobre união para o bem, é indispensável o trabalho preparatório de atividades mentais na meditação de ordem superior. A atitude íntima de relaxamento, ante as lições evangélicas recebidas, não pode conferir ao crente, ou ao cooperador, a concentração de forças espirituais no serviço de elevação, tão só porque estes se entreguem, apenas por alguns minutos na semana, a pensamentos compulsórios de amor cristão. Como veem, o assunto é complexo e demanda longas considerações e ensinamentos.

Reparei com mais atenção os circunstantes encarnados. Não fosse o devotamento dos colaboradores do nosso plano, tornar-se-ia impossível qualquer proveito concreto.

Isidoro e outros amigos devotados trabalhavam com ardor, despertando alguns dorminhocos e reajustando o pensamento dos invigilantes, para neutralizar determinadas influências nocivas.

Eu reconhecia que os benefícios imediatos da doutrinação 47.3 de Bentes eram muito mais visíveis entre os desencarnados. No grupo destes, não havia um só que não recebesse consolações diretas e sublime conforto.

Finda a interpretação, pouco antes de se entregar dona Isabel ao trabalho do receituário, observei que uma senhora desencarnada se aproximara de Isidoro, pedindo, emocionada:

— Ser-lhe-á possível, meu irmão, entender-se por mim com os nossos orientadores quanto à possibilidade de me comunicar diretamente com a minha filha, presente à reunião? Estou certa de que, com a permissão devida, nossa Isabel me atenderá a angústia materna.

O interpelado mostrou sincero desejo de ser útil, mas, depois de trocar algumas palavras com o instrutor mais graduado da reunião, que se colocara entre a médium e o doutrinador, veio trazer a resposta, algo constrangido, com grande surpresa para mim:

— Minha irmã — disse ele —, o nosso nobre Anselmo não julga viável o seu pedido. Asseverou que sua filhinha ainda não está em condições de receber essa bênção. Ela tem necessidade de testemunhar, agora, o que aprendeu do seu exemplo, no mundo, e precisa permanecer no campo da oportunidade, sem repousar indevidamente nos seus braços.

E como a senhora denotasse tristeza, Isidoro continuou em tom fraternal:

— Não somente por isso, minha amiga, nosso instrutor se vê forçado a desatender. A medida traria inconveniente grave para o seu sentimento maternal. No estado evolutivo em que se encontra, e considerando o velho hábito adquirido, a filhinha se agarraria excessivamente ao seu auxílio. Prender-se-ia à mãezinha afetuosa e sensível, e talvez a irmã se visse perturbada em sua nova carreira espiritual. Ela precisa estar mais livre para testemunhar, enquanto o seu coração deve permanecer em liberdade, por nobre merecimento conquistado ao preço do seu suor e lágrimas, quando na Terra. Considerando, embora, o caráter sagrado do amor em sua feição maternal, nossos orientadores não podem conceder à sua filha o direito de perturbá-la. Compreende? Não se atormente com esta impossibilidade transitória. Lembre-se de que todos somos filhos de Deus. O Senhor terá recursos para atender à jovem, em seu lugar. Quanto ao mais, alegremo-nos em nossos serviços. Recorde que o auxílio não se verificará pelo processo direto, mas podemos recorrer ao método indireto. Quem sabe? Amanhã, possivelmente, poderá encontrar-se com sua filha, em sonho.

47.4 A interpelada sorriu, confortada, e obtemperou:

— É verdade. Devo compreender a nova situação.

Nesse instante, acercou-se de Isidoro uma entidade amiga, que solicitou:

— Meu caro, estimaria suas providências junto dos receitistas, para que forneçam novas indicações ao Amaro. Meu sobrinho necessita de amparo à saúde física.

O esposo espiritual de Isabel tomou uma expressão significativa e respondeu:

— Não posso, meu amigo, não posso. Se Amaro pedir e os receitistas cederem, tudo estará muito bem; mas você não ignora que o nosso doente é muito rebelde. Já lhe providenciei a obtenção de conselhos médicos do nosso plano, por cinco vezes, sem que ele correspondesse aos nossos esforços. Não se resolve a adquirir os remédios indicados, e quando os obtém, por obséquio de amigos, despreza os horários e julga-se superior ao método. Critica mordazmente as indicações obtidas e serve-se delas com desprezo. Naturalmente não estou agastado com isso, como adulto que se não aborrece com as brincadeiras de uma criança; mas você compreende que estamos lidando com um material muito sagrado e não há tempo para conviver com os que estimam a brincadeira. Além disso, não será caridade o ato de dar aos que não querem receber.

Isidoro falava com uma inflexão de bondade fraternal, que afastava todos os característicos da franqueza contundente. Compreendi que, para atender a tanta gente e movimentar-se entre tantos propósitos heterogêneos, não seria possível tratar os assuntos de outro modo. 47.5

O serviço prosseguia com enorme demonstração educativa para Vicente e para mim. O esforço dos clínicos espirituais, aliado à abnegação da intermediária, comovia-me o coração. Era necessário, de fato, grande renúncia para atender ao trabalho compacto e numeroso no setor de assistência aos encarnados, porque poucos frequentadores do grupo pareciam manter atitude correspondente à sublime dedicação fraternal em nome do Mestre.

Aniceto, porém, adivinhando meus pensamentos, falou com bondade:

— Um dia, André, você compreenderá, com Jesus, que melhor é servir que ser servido; mais belo é dar que receber.

48
Pavor da morte

Numerosas explicações do orientador atendiam-me às indagações naturais; no entanto, restava aprender alguma coisa. Por que motivo se reuniam ali tantos desencarnados? Já que recebiam assistência espiritual, não poderiam congregar-se em lugares igualmente espirituais? 48.1

Respeitosamente, interroguei Aniceto nesse sentido.

— De fato, André — respondeu o generoso mentor —, a maioria dos desencarnados recebe esclarecimentos justos em nossa esfera de ação. Você mesmo, nos primórdios da nova experiência espiritual, não foi conduzido ao ambiente de nossos amigos corporificados para o necessário encaminhamento. Grande número de criaturas, porém, na passagem para cá, sente-se possuído de "doentia saudade do agrupamento", como acontece, noutro plano de evolução, aos animais, quando sentem a mortal "saudade do rebanho". Para fortalecer as possibilidades de adaptação dos desencarnados dessa ordem ao novo *habitat*, o serviço de socorro é mais eficiente, ao contato das forças magnéticas dos irmãos que ainda se encontram envolvidos nos círculos carnais. Esta sala, em momentos como este, funciona como grande incubadora de energias psíquicas, para os serviços de aclimação de certas organizações espirituais à vida nova.

48.2   E, designando a grande assembleia de necessitados, continuou:

— Os irmãos, nas condições a que me refiro, ouvem-nos a voz, consolam-se com o nosso auxílio, mas o calor humano está cheio dum magnetismo de teor mais significativo, para eles. Com semelhante contato, experimentam o despertar de forças novas. Por isso, o trabalho de cooperação, em templos desta espécie, oferece proporções que você, por agora, não conseguiria imaginar. Não observou os preguiçosos, os dorminhocos e invigilantes que vieram colher benefícios nesta casa? Pois eles também deram alguma coisa de si... Deram calor magnético, irradiações vitais proveitosas aos benfeitores deste santuário doméstico, que manipulam os elementos dessa natureza, distribuindo-os em valiosas combinações fluídicas às entidades combalidas e inadaptadas.

E, sorrindo, concluiu bondoso:

— Tudo tem algum proveito, André. Nosso Pai nada cria em vão.

Terminada a reunião com benefícios gerais, que não me cabe descrever pormenorizadamente, atendeu Aniceto ao facultativo desejoso de aproveitar-lhe o concurso nobre, junto aos clientes.

— Grande número de vezes — exclamou o receitista do grupo de dona Isabel, como a prestar informações a Vicente e a mim — não só ministramos medicação aos corpos doentes, mas também orientamos os desencarnados que, no curso da moléstia, se encontram sob nossa assistência.

— E são sempre muitos? — indaguei.

— Número crescente — elucidou atencioso. — Há ocasiões em que contamos com a cooperação de amigos ou parentes espirituais dos enfermos; mas, na maioria dos casos, somos forçados a agir por nós mesmos. Felizmente, quase nunca estamos sem auxiliares dedicados e ativos. Há companheiros que se consagram a cuidar de tuberculosos, cegos, aleijados, leprosos, perturbados e moribundos, isoladamente. São eles nossos devotados colaboradores em todas as situações.

Puséramo-nos a caminho e, a breves minutos, estacionávamos diante dum edifício de vastas proporções. 48.3

O colega, gentil, conduziu-nos ao interior de espaçoso necrotério, onde defrontamos um quadro interessante. O cadáver de uma jovem, de menos de 30 anos, ali jazia gelado e rígido, tendo a seu lado uma entidade masculina, em atitude de zelo. Com assombro, notei que a desencarnada estava unida aos despojos. Parecia recolhida a si mesma, sob forte impressão de terror. Cerrava as pálpebras, deliberadamente, receosa de olhar em torno.

— Terminou o processo de desligamento dos laços fisiológicos — exclamou o facultativo atento —, mas a pobrezinha há seis horas que está dominada por terrível pavor.

E, apontando o cavalheiro desencarnado, que permanecia junto dela, cuidadoso, o receitista esclareceu:

— Aquele é o noivo que a espera há muito.

Aproximamo-nos um tanto e ouvimo-lo exclamar carinhosamente:

— Cremilda! Cremilda! Vem! Abandona as vestes rotas. Fiz tudo para que não sofresse mais... Nossa casinha te aguarda, cheia de amor e luz!...

A jovem, todavia, cerrava os olhos, demonstrando não querer vê-lo. Notava-se, perfeitamente, que seu organismo espiritual permanecia totalmente desligado do vaso físico, mas a pobrezinha continuava estendida, copiando a posição cadavérica, tomada de infinito horror.

48.4   Aniceto, que tudo pareceu compreender num abrir e fechar de olhos, fez leve sinal ao rapaz desencarnado, que se aproximou comovido.

— É preciso atendê-la doutro modo — disse o nosso orientador, resoluto —. Vejo que a pobrezinha não dormiu no desprendimento e mostra-se amedrontada por falta de preparação espiritual. Não convém que o amigo se apresente a ela já, já... Não obstante o amor que lhe consagra, ela não poderia revê-lo sem terrível comoção, neste instante em que a mente lhe flutua sem rumo...

— Sim — considerou ele, tristemente —, há seis horas chamo-a sem cessar, identificando-lhe o terror.

Redarguiu Aniceto, conselheiral:

— Ausência de preparação religiosa, meu irmão. Ela dormirá, porém, e, tão logo consiga repouso, entregá-la-emos aos seus cuidados. Por enquanto, conserve-se a alguma distância.

E, fazendo-se acompanhar do facultativo, que assistira espiritualmente a jovem nos últimos dias, aproximou-se da recém-desencarnada, falando com inflexão paternal:

— Vamos, Cremilda, ao novo tratamento.

Ouvindo-o, a moça abriu os olhos espantadiços e exclamou:

— Ah, doutor, graças a Deus! Que pesadelo horrível! Sentia-me no reino dos mortos, ouvindo meu noivo, falecido há anos, chamar-me para a Eternidade!...

— Não há morte, minha filha! — objetou Aniceto, afetuoso. — Creia na vida, na vida eterna, profunda, vitoriosa!

— É o senhor o novo médico? — indagou confortada.

— Sim, fui chamado para aplicar-lhe alguns recursos em bases magnéticas. Torna-se indispensável que durma e descanse.

— É verdade... — tornou ela de modo comovente —, estou muito cansada, necessitando de repouso...

Recomendou-nos o instrutor, em voz baixa, prestássemos auxílio, em atitude íntima de oração, e, depois de conservar-se em silêncio por instantes, ministrou-lhe o passe reconfortador. A jovem dormiu quase imediatamente.

Deslocou-a Aniceto, afastando-a dos despojos, com o zelo amoroso dum pai, e, chamando o noivo reconhecido, entregou-a carinhosamente. 48.5

— Agora, poderá encaminhá-la, meu irmão.

O rapaz agradeceu com lágrimas de júbilo e vi-o retirar-se de semblante iluminado, utilizando a volitação, a carregar consigo o fardo suave do seu amor.

Nosso mentor fixou um gesto expressivo e falou:

— Pela bondade natural do coração e pelo espontâneo cultivo da virtude, não precisará ela de provas purgatoriais. É de lamentar, contudo, não se tivesse preparado na educação religiosa dos pensamentos. Em breve, porém, ter-se-á adaptado à vida nova. Os bons não encontram obstáculos insuperáveis.

E, desejoso talvez de consubstanciar a síntese da lição, rematou:

– Como veem, a ideia da morte não serve para aliviar, curar ou edificar verdadeiramente. É necessário difundir a ideia da vida vitoriosa. Aliás, o Evangelho já nos ensina, há muitos séculos, que Deus não é Deus de mortos, e sim o Pai das criaturas que vivem para sempre.

49
Máquina divina

Não se passaram muitos minutos e estávamos ao lado do agonizante, cuja situação preocupava o clínico espiritual. **49.1**

Era um cavalheiro de 60 anos presumíveis, que a leucemia aniquilava morosamente.

— Há muitos dias se encontra em coma — explicou o facultativo —, mas temos necessidade de mais forte auxílio magnético, para facilitar o desprendimento.

No aposento, além de duas senhoras desencarnadas — a mãe do agonizante e uma parenta próxima —, viam-se familiares encarnados, dando mostras de grande aflição.

Nosso orientador examinou o enfermo detidamente e sentenciou:

— Nada resta senão a necessidade de concurso para o desligamento final.

Aniceto, a seguir, recomendou observássemos o moribundo com atenção.

Concentrando todas as minhas possibilidades, fixei o enfermo prestes a desencarnar. Notei, com minúcias, que a alma se retirava lentamente através de pontos orgânicos insulados. Assombrado, verifiquei que, bem no centro do crânio, havia um foco de luz mortiça, candelabro aceso às ondulações brandas do vento. Enchia toda a região encefálica, despertando-me profunda admiração.

49.2 — A luz que você observa — disse o instrutor amigo — é a mente, para cuja definição essencial não temos, por agora, conceituação humana.

Notando minha estranheza, Aniceto colocou-me a destra na fronte, transmitindo-me vigoroso influxo magnético, e acentuou:

— Repare a máquina divina do homem, o tabernáculo sagrado que o Senhor permitiu se formasse na Terra para sublime habitação temporária do espírito. Agora, André, não está você diante duma demonstração anatômica da ciência terrestre, examinando carne morta e músculos enrijecidos. Observe agora! O olho mortal não poderá contemplar o que se encontra à sua vista neste instante. O microscópio é ainda pobre, não obstante representar uma nobre conquista para a limitada visão humana.

A cooperação magnética do querido mentor modificara a cena e fui compelido a concentrar todas as minhas energias a fim de não inutilizar a observação pelo golpe do espanto.

A luz mental, embora fosca, tornara-se mais nítida e o corpo do moribundo agigantou-se, oferecendo-me espetáculo surpreendente aos olhos ansiosos. Parecia-me o corpo, agora, maravilhosa usina nos mais íntimos detalhes. O quadro científico era simplesmente estupefativo. Identificava, em grandes proporções, os nove sistemas de órgãos da máquina humana; o arcabouço ósseo, a musculatura, a circulação sanguínea, o aparelho de purificação do sangue consubstanciado nos pulmões e nos rins, o sistema linfático, o maquinismo digestivo, o sistema nervoso, as glândulas hormonais e os órgãos dos sentidos. Tal revelação histológica era diferente de tudo que eu poderia sonhar nos meus trabalhos de

Medicina. A circulação do sangue semelhava-se a movimento de canais vitalizadores daquele pequeno mundo de ossos, carne, água e resíduos. Milhões de organismos microscópicos iam e vinham na corrente empobrecida de glóbulos vermelhos. Presenciava a passagem de formas esquisitas, à maneira de minúsculas embarcações carregadas de bactérias mortíferas. Elementos maiores da flora microbiana transformavam-se em pequeninos barcos hospedando feras minúsculas, às centenas. Invadiam todos os núcleos organizados. Os órgãos, como os pulmões, o fígado e os rins, estavam sendo assaltados, irremediavelmente, por incalculável quantidade de sabotadores infinitesimais. E, à medida que se consolidavam os micróbios invasores, em determinadas regiões celulares, alguma coisa se destacava, lentamente, da zona atacada, como se um molde sempre novo fosse expulso da forma gasta e envelhecida, reconhecendo eu, desse modo, que a desencarnação se operava por meio de processo parcial, facultando-me ilações preciosas. Reparei que algumas glândulas faziam desesperado esforço para enviar aos centros invadidos determinadas porções de hormônios, que eram incontinente absorvidos pelos elementos letais. O plasma sanguíneo figurava-se líquido estranho e gangrenoso.

Pela excessiva movimentação da onda mental, observei **49.3** que o moribundo tentava readquirir a direção dos fenômenos orgânicos, mas em vão. Todos os complexos celulares atritavam entre si e as bactérias pareciam gozar o direito de multiplicação crescente e festiva.

— Está vendo a máquina divina, formada pelo molde espiritual preexistente? — perguntou Aniceto, compreendendo-me a profunda admiração. O corpo do homem encarnado é um tabernáculo e uma bênção. Nesta hecatombe angustiosa de uma existência, pode você reparar que todos os movimentos do corpo estão subordinados à administração da mente. O organismo vivo, André, representa uma conquista laboriosa da humanidade terrestre, no quadro de concessões do eterno Pai. Pode você, agora, identificar os movimentos da matéria viva. Cada órgão é um departamento autônomo na esfera celular, subordinado ao pensamento do homem. Cada glândula é um centro de serviços ativos. Há muita afinidade entre o corpo físico e a máquina moderna. São ambos impulsionados pela carga de combustível, com a diferença de que no homem a combustão química obedece ao senso espiritual que dirige a vida organizada. É na mente que temos o governo dessa usina maravilhosa. Não possuímos, aí, tão somente o caráter, a razão, a memória, a direção, o equilíbrio, o entendimento, mas também o controle de todos os fenômenos da expressão corpórea. Na sede mental e, consequentemente, no cérebro, temos todos os registros de distribuição dos princípios vitais aos núcleos celulares, inclusive a água e o açúcar. Os centros metabólicos são grandes oficinas de trabalho incessante. A mente humana, ainda que indefinível pela conceituação científica limitada, na Terra, é o centro de toda manifestação vital no planeta. Cada órgão, cada glândula, meu amigo, integra o quadro de serviço da máquina sublime, construída no molde sutil do corpo espiritual preexistente e, por isso mesmo, chegará o tempo em que a ciência reconhecerá qualquer abuso do homem como ofensa causada a si mesmo. A usina humana é repositório de forças elétricas de alto teor construtivo ou destrutivo. Cada célula é minúsculo motor, trabalhando ao impulso mental.

49.4 Aniceto calou-se por momentos, e, enquanto eu via, aterrado, os mais estranhos fenômenos microbianos no corpo do moribundo, volveu ele à palavra educativa:

— Vemos aqui um irmão no momento da retirada. Repare a incapacidade dele para governar as células em conflito. A corrente sanguínea transformou-se em veículo de invasores mortíferos, que não encontraram qualquer fortificação na defensiva. Observe e identificará milhões de unidades da tuberculose, da

lepra, da difteria, do câncer, que até agora estavam contidos nos porões da atividade fisiológica, pela defesa organizada, e que se multiplicam assustadoramente, de par com outros micróbios tão prolíferos quão terríveis. A nutrição foi interrompida. Não há 49.5
possibilidade de novos suprimentos hormonais. O agonizante retrai-se aos poucos e ainda não abandonou totalmente a carne, por falta de educação mental. Vê-se pelo excesso de intemperança das células, sobre as quais não exerce nem mesmo um controle parcial, que este homem viveu bem distante da disciplina de si mesmo. Seus elementos fisiológicos são demasiadamente impulsivos, atendendo muito mais ao instinto que ao movimento da razão concentrada. A falar verdade, este nosso amigo não se está desencarnando, está sendo expulso da divina máquina, na qual, pelo que vemos, não parece ter prezado bastante os sublimes dons de Deus.

50
A desencarnação de Fernando

Quando Aniceto retirou a destra da minha fronte, perdi a possibilidade de prosseguir nas observações do infinitesimal. Minha visão abrangia minúcias muito importantes ao interesse comum; entretanto, estava longe daquele poder de apreensão que me transmitira o mentor amigo, ao contato do seu elevado potencial magnético. **50.1**

Centralizando minhas energias visuais, analisava ainda o sistema ósseo, o sangue, os tecidos, os humores, mas aquelas batalhas microscópicas haviam desaparecido como por encanto. De qualquer modo, porém, minha surpresa era enorme, porque agora identificava, em mim mesmo, a potencialidade do raio X.

Aniceto, depois de proporcionar a Vicente o mesmo estudo, movimentava providências novas.

No aposento, conservava-se determinado número de parentes aflitos. Um médico encarnado examinava o moribundo, com atenção.

50.2   Foi aí que as duas entidades que se mantinham no quarto, e que apenas nos haviam dispensado a usual saudação, se aproximaram do nosso instrutor, solicitando-lhe uma cooperação mais enérgica.

— Por favor, nobre amigo — disse a irmã que havia sido genitora do moribundo —, ajude-nos a retirar meu pobre filho do corpo esgotado. Há muitas horas, estamos à espera de alguém que nos possa auxiliar neste transe. Tenho procurado confortá-lo, mas em vão! — acentuou a nobre senhora em tom lastimoso. — Ele continua num estado de incompreensão dolorosa e terrível. Está absolutamente preso às sensações de sofrimento físico, como esteve ligado, no curso da existência, às satisfações do corpo.

Aniceto concordou, acrescentando:

— Notam-se, de fato, grandes lacunas na expressão mental do moribundo. Vê-se que atravessou a vida humana obedecendo mais ao instinto que à razão. Observam-se-lhe no mundo celular vastos complexos de indisciplina. Poderemos, contudo, ajudá-lo a desvencilhar-se dos laços mais fortes, no que se refere ao círculo carnal.

— Será um caridoso obséquio — redarguiu a genitora, aflita.

— A irmã está incumbida de encaminhá-lo? — perguntou o instrutor, compreendendo a magnitude da tarefa. — Precisamos ponderar quanto a isso, porque o desprendimento integral se verificará dentro de poucos minutos.

Ela esboçou um gesto triste e respondeu:

— Desejaria sacrificar-me ainda um pouco por meu desventurado Fernando, mas apenas obtive permissão para socorrê-lo nos seus últimos instantes. Meus superiores prometem ajudá-lo, mas aconselharam-me a deixá-lo entregue a si mesmo durante algum tempo. Fernando precisa reconsiderar o passado, identificar os valores que, infelizmente, desprezou. As lágrimas e os remorsos, na solidão do arrependimento, serão portadores de calma ao seu espírito irrefletido. Grande é o meu desejo de conchegá-lo ao coração, regressando aos dias que já se foram; todavia, não posso prejudicar, com a minha ternura materna, a marcha do serviço divino. Fernando, em verdade, é filho do meu afeto; contudo, tanto ele como eu, temos contas com a Justiça do Eterno e, no que respeita a mim, estou cansada de agravar os meus débitos. Não devo contrariar os desígnios de Deus.

A essa altura do diálogo, interveio o clínico espiritual que nos encaminhara até ali, informando, atencioso: 50.3

— Nossa amiga tem razão. Fernando não poderá acompanhá-la, mas tão nobre tem sido a intercessão materna que tenho instruções para conduzi-lo a lugar seguro, a uma casa de socorro, onde poderá colher o melhor proveito do sofrimento, porquanto será asilado em zona vibratória inacessível às influências inferiores e criminosas, embora situada em regiões baixas.

— Já sei — murmurou Aniceto com grave entono —, trata-se de medida muito acertada.

Em seguida, acentuou como quem não tinha tempo a perder:

— A aflição dos familiares encarnados, aqui presentes, poderá dificultar-nos a ação. Observem como todos eles emitem recursos magnéticos em benefício do moribundo.

De fato, uma rede de fios cinzentos e fracamente iluminados parecia ligar os parentes ao enfermo quase morto.

— Tais socorros — tornou Aniceto — são agora inúteis para devolver-lhe o equilíbrio orgânico. Precisamos neutralizar essas forças, emitidas pela inquietação, proporcionando, antes de tudo, a possível serenidade à família.

E, aproximando-se ainda mais do agonizante, tomou a atitude do magnetizador, exclamando:

— Modifiquemos o quadro do coma.

Após alguns minutos em que nosso mentor operava, secundado pelo nosso respeitoso silêncio, ouvimos o médico encarnado anunciar aos parentes do moribundo:

50.4 — Melhoram os prognósticos. A pulsação, inexplicavelmente, está quase normal. A respiração tende a calmar-se.
Três senhoras suspiraram aliviadas.
— Dona Amanda — dirigiu-se o assistente à esposa do moribundo —, convém que vá repousar, levando as suas cunhadas. O senhor Fernando está muito tranquilo e a situação é francamente favorável. Ficaremos velando, o senhor Januário e eu.
As senhoras e mais dois cavalheiros, que se prontificavam a retirar, agradeceram satisfeitos e comovidos. Permaneceram no aposento somente o médico e um irmão do agonizante. A melhora súbita tranquilizara a todos. E, aos poucos, os fios cinzentos que se ligavam ao enfermo desapareceram sem deixar vestígios.
— Abramos a janela — disse o médico satisfeito —, o ar talvez acelere as melhoras do nosso amigo.
O senhor Januário atendeu, abrindo a ampla vidraça.
Fundamente espantado, reparei que três rostos horríveis pela expressão diabólica surgiram, de repente, no peitoril, e interrogaram em voz alta:
— Como é? Fernando vem ou não vem?
Ninguém respondeu. Notei, porém, que Aniceto lhes dirigiu significativo olhar, compelindo-os, tão só com essa medida, a desaparecer.
Meia hora passou, dentro da qual o médico e o senhor Januário, quase despreocupados do agonizante, pelas melhoras havidas, encetaram uma conversação animada, relativamente a problemas do mundo.
Aproveitou Aniceto a serenidade ambiente e começou a retirar o corpo espiritual de Fernando, desligando-o dos despojos, reparando eu que iniciara a operação pelos calcanhares, terminando na cabeça, à qual, por fim, parecia estar

preso o moribundo por extenso cordão, tal como se dá com os nascituros terrenos. Aniceto cortou-o com esforço. O corpo de Fernando deu um estremeção, chamando o médico humano ao novo quadro. A operação não fora curta e fácil. Demorara-se longos minutos, durante os quais vi o nosso instrutor empregar todo o cabedal de sua atenção e talvez de suas energias magnéticas.

A família do morto, informada pelo senhor Januário, aflita penetrou no quarto, ruidosamente. 50.5

A genitora do desencarnado, porém, auxiliada por Aniceto e pelo facultativo espiritual que nos levara até ali, prestou ao filho os socorros necessários. Daí a instantes, enquanto a família terrena se debruçava em pranto sobre o cadáver, a pequena expedição constituída por três entidades, as duas senhoras e o clínico saía conduzindo o desencarnado ao instituto de assistência, reparando eu, contudo, que não saíam utilizando a volitação, mas caminhando como simples mortais.

Sentia-me fortemente impressionado. Intrigava-me, sobretudo, o aparecimento daqueles rostos satânicos quando se abrira a janela. Por que semelhante menosprezo a um agonizante?

Retirando-nos da residência, o instrutor me fitou atento, e, antes que formulasse qualquer pergunta, esclareceu:

— Não se preocupe tanto, André, com os vagabundos que esperavam nosso irmão infeliz. Só não penetraram na câmara de dor porque a nobre presença maternal impedia tal assédio.

E, depois de calar-se por momentos, acrescentou:

— Cada criatura, na vida, cultiva as afeições que prefere. Fernando estimava os companheiros desregrados. Não é, pois, estranhável que tenham vindo esperá-lo na estação de volta à existência real. Paulo de Tarso, no capítulo 12 da *Epístola aos hebreus*, afirma que o homem está cercado de uma grande "nuvem de testemunhas". Ora, essa informação foi

50.6 endereçada ao espírito humano há quase vinte séculos. Cada um, pois, tem o séquito invisível a que se devota na Terra. Mais tarde, quando a coletividade apreender a grandeza das lições evangélicas, todo homem terá cuidado na escolha de suas testemunhas.

51
Nas despedidas

Depois de outras atividades espirituais numerosas, findou a semana de serviço a que Aniceto nos admitira em sua companhia. 51.1

Seguíramos o nobre instrutor, em tarefas variadas e complexas. Sediados no templo acolhedor de Isabel, atendêramos a considerável número de doentes, bem como a irmãos outros perturbados, abatidos, transviados e moribundos. Nosso orientador tinha, para todos os casos, maravilhosos recursos de improvisação, sempre atencioso e otimista.

Aqueles poucos dias de trabalho novo encheram-me o cérebro de raciocínios novos e o coração de sentimentos que até então desconhecera.

Ao contato das revelações de Aniceto, nos domínios da eletricidade e do magnetismo, reformara todos os meus antigos conhecimentos de Medicina. A ascendência mental no equilíbrio orgânico, as forças radioativas, o campo das bactérias, a visão mais ampla da matéria organizada compeliam-me a nova conceituação científica na arte de curar os corpos enfermos.

51.2   Alargara-se, sobretudo, em minha alma, o entendimento acerca do Médico divino que restabelece a saúde do Espírito imortal. A claridade extensa, que me felicitava agora o espírito, fornecia mais largo conhecimento de Jesus. Compreendi, então, que a fé não constitui uma afirmativa de lábios, nem uma adesão de ordem estatística. Procurá-la-ia, em vão, na esfera sectária, nas disputas vulgares, nos cultos exteriores alteráveis todos os dias. Era, sim, uma fonte d'água viva, nascendo espontaneamente em minha alma. Traduzia-se em reverência profunda, aliada ao mais alto conceito de serviço e responsabilidade, diante das sublimes concessões do eterno Pai. Encontrara um tesouro inacessível à destruição e um bem intransferível, por nascido e consolidado em mim mesmo.

Quando o instrutor nos convidou a regressar, sentia-me positivamente outro. Guardava a impressão de haver encontrado as notícias diretas do Senhor Jesus, na descoberta do meu próprio mundo interior.

Como poderia pagar ao prestimoso Aniceto semelhante capitalização de bens imortais?

Havia terminado o serviço de orações, na última reunião semanal da residência de Isidoro e Isabel.

Os trabalhos, sempre ativos, haviam representado esfera de observações e experiências sempre novas.

Grande número de amigos de Aniceto acercou-se do instrutor, ansiosos por partilharem a luz da conversação de despedidas.

O devotado orientador oferecia a todos a sua palavra de bom ânimo, otimismo, alegria e confiança no Senhor, como um príncipe de legenda, cuja boca fosse fonte inesgotável de ouro espiritual.

Vicente e eu tínhamos os olhos úmidos, desejosos de externar-lhe verbalmente nosso reconhecimento pelas bênçãos recolhidas; mas, ao nos aproximarmos, o abnegado orientador sorriu e antecipou:

— Agradeçam a Jesus pelo muito que nos tem dado.

Os mensageiros | Capítulo 51

E, tomando a *Bíblia*, como interessado em fixar o assunto 51.3
geral no amor às coisas santificadas, leu em voz alta, no capítulo
segundo dos Provérbios de Salomão:

— Filho meu, se aceitares as minhas palavras e guardares contigo os meus mandamentos, para fazeres atento à sabedoria o teu ouvido e para inclinares o teu coração ao entendimento; e se clamares por entendimento, e por inteligência alçares a tua voz, se como a prata a buscares e como a tesouros ocultos a procurares, então entenderás o temor do Senhor, e acharás o conhecimento de Deus.[4]

Deixou em seguida o livro sagrado sobre a mesa e sentenciou:

— Lembremo-nos do Senhor em nossas despedidas. Ratifiquemos, irmãos, nossos compromissos de trabalho e testemunho. Em tão pequeno trecho dos Provérbios encontramos muitos verbos que interessam os espíritos cristãos. Aceitar os mandamentos divinos e guardá-los, tornar o ouvido atento e o coração esclarecido, pedir entendimento e inteligência alçando a voz acima dos objetivos inferiores, buscar os tesouros do Cristo e procurar-lhe o programa de serviços, representa o esforço nobre daquele que, de fato, deseja a Divina Sabedoria. Não esqueçamos esses deveres.

Como a pausa se fizesse mais longa, um irmão rogou ao querido amigo prosseguisse na interpretação do texto, mas Aniceto replicou em tom fraternal:

— Por agora, meu irmão, não é mais possível. Outras obrigações nos chamam de longe.

E, dirigindo-se particularmente a Vicente e a mim, acentuou:

— Já que voltaremos pela estrada comum, poderemos esperar por nossa amiga Isabel, para apresentar-lhe nossos agradecimentos e despedidas.

Daí a momentos, a nobre companheira de Isidoro, abandonando o corpo ao repouso do sono, veio até nós, junto do

---

[4] Nota do autor espiritual: PROVÉRBIOS, 2:1 a 5.

esposo espiritual, atendendo ao convite mental do nosso dedicado orientador. Aniceto exprimiu-lhe profundo reconhecimento, falou-lhe da nossa alegria, das oportunidades santas do serviço que a bondade divina nos havia proporcionado.

51.4   Dona Isabel agradeceu comovidamente, deixando transparecer as lágrimas da gratidão que lhe dominava o espírito.

— Nobre Aniceto — disse enxugando os olhos —, se for possível, voltai sempre ao nosso modesto lar. Ensinai-me a paciência e a coragem, generoso amigo! Quando puderdes, não me deixeis transviar nos deveres de mãe, tão difíceis de cumprir na carne, em que os interesses menos dignos se entrechocam com violência. Amparai-me as obrigações de serva do Evangelho de Nosso Senhor! Por vezes, profundas saudades da família espiritual me dilaceram o coração... desejaria arrebatar meus filhos à esfera superior, inclina-los ao bem, para que a nossa união divina não tarde nos planos mais altos da vida. E essas saudades de Nosso Lar me pungem a alma, ameaçando, por vezes, minha tarefa humilde na Terra. Nobre Aniceto, não vos esqueçais desta amiga pobre e imperfeita. Sei que Isidoro me segue passo a passo, mas ele e eu precisamos de amigos fortes na fé, como vós, que nos reavivem o bom ânimo na jornada dos deveres cristãos!...

A irmã Isabel não pôde continuar, porque o pranto lhe embargara a voz. Aniceto, de olhos brilhantes e serenos, enlaçou-a como pai e falou brandamente:

— Isabel, segue em teus testemunhos e não temas. Estaremos contigo, agora e sempre. Muitas criaturas admiráveis tiveram a tarefa, mas não esqueçamos, filha, que Jesus teve a tarefa e o sacrifício no mundo. Não nos faltará no caminho redentor o terno cuidado do Guia vigilante. Tem bom ânimo e caminha!

Em seguida, olhando-nos a todos, de frente, o nobre amigo exclamou:

— Agora, irmãos, auxiliem-me a orar!

E, conservando Isabel e Isidoro unidos ao seu coração, **51.5** Aniceto fixou os olhos no alto e falou com sublime beleza:

Senhor, ensina-nos a receber as bênçãos do serviço! Ainda não sabemos, amado Jesus, compreender a extensão do trabalho que nos confiaste! Permite, Senhor, possamos formar em nossa alma a convicção de que a Obra do Mundo te pertence, a fim de que a vaidade não se insinue em nossos corações com as aparências do bem!

Dá-nos, Mestre, o espírito de consagração aos nossos deveres e desapego aos resultados que pertencem ao teu amor!

Ensina-nos a agir sem as algemas das paixões, para que reconheçamos os teus santos objetivos!

Senhor amorável, ajuda-nos a ser teus leais servidores,
Mestre amoroso, concede-nos, ainda, as tuas lições,
Juiz reto, conduze-nos aos caminhos direitos,
Médico sublime, restaura-nos a saúde,
Pastor compassivo, guia-nos à frente das águas vivas,
Engenheiro sábio, dá-nos teu roteiro,
Administrador generoso, inspira-nos a tarefa,
Semeador do Bem, ensina-nos a cultivar o campo de nossas almas,
Carpinteiro divino, auxilia-nos a construir nossa casa eterna,
Oleiro cuidadoso, corrige-nos o vaso do coração,
Amigo desvelado, sê indulgente, ainda, para com as nossas fraquezas,
Príncipe da Paz, compadece-te de nosso espírito frágil, abre nossos olhos e mostra-nos a estrada de teu Reino!

Aniceto calou-se comovido, e, de olhos úmidos, contendo a custo as lágrimas do meu reconhecimento, incorporei-me à nobre caravana que seguiria conosco de regresso a Nosso Lar.

Índice geral[15]

A

Acelino
  casamento – 8.2
  história – 8.2
  médium fracassado – 8.3
  Nosso Lar – 8.2
  Otávio – 8.1
  perdão – 8.5
  preço das consultas – 8.3
  Ruth, esposa – 8.2
  tempo nas zonas inferiores – 8.1
  transformação da mediunidade – 8.3

Adélia
  esposa de médium falido – 9.4

Adversário
  benfeitor – 1.2

Água efluviada
  recepção – 25.5
  significado do termo – 22.5, nota

Aldonina
  filha do casal Bacelar – 28.2, 29.1
  Nosso Lar – 30.3
  prêmio de assiduidade e
    bom ânimo – 30.3

Alejandre Pizarro, monsenhor
  Inquisição Espanhola – 10.3
  Joel – 10.3

Aleto, Fábio
  interpretação espiritual
    do texto – 35.3

Alfredo
  administrador do Posto
    de Socorro – 16.3
  aparelho de sinalização luminosa
    – 22.2, 24.3, 25.3
  comportamento de * diante
    de Paulo – 27.4
  história – 17.2, 27.3
  Ismália, esposa – 16.3

---

[15] N.E.: Remete à numeração presente à margem das páginas.

Índice geral

médico da alma – 21.2
Paulo e história – 27.3
permissão para consórcio
  espiritual – 17.3
recepção aos desencarnados – 18.5
sinal luminoso em forma
  triangular – 24.1
visita da família Bacelar – 28.2

Alma
Ciência e aflições – 5.3
corpo físico e necessidades – 5.3
desencarnação e desligamento – 49.1
mordomos de bens – 7.2
percepção do campo – 15.3

Alonso
apelos do lar – 26.3
colaborador do Posto de
  Socorro – 26.2

Amâncio
esposo de Mariana – 9.1

Amanda
esposa de Fernando – 50.4

Amaro
rebeldia, crítica – 47.4

Amor
vibrações espirituais do *
sem morte – 30.2

Ana
irmã de André Luiz –
  23.3, 23.4, 32.5

Aniceto, instrutor
Alvorada Nova – 18.4
André Luiz – 2.2
equipe de trabalho – 2.4
Instituição do Homem Novo – 2.3
Ministério da Regeneração, do
  Auxílio e da Comunicação – 2.1

Anselmo
instrutor espiritual – 47.3

Antônio
esposo de Isaura – 30.2

Aparelho de sinalização luminosa
Alfredo – 22.2, 24.1, 25.3
ordens de serviço e
  movimentação – 22.5
sinal em forma triangular – 24.1

Aristarco
processo – 21.3
Visconde da Cairu – 21.3

Arma
utilização de projéteis elétricos – 20.3
vibrações do medo – 20.4

Arte
visões gloriosas do homem – 16.5

Ascensão espiritual
condição – 6.4

Astronomia terrena
conhecimentos – 15.3

B

Bacelar
Aldonina, filha do casal – 29.1
Alfredo e visita da família – 28.2
Campo da Paz e família – 28.1
Cecília, filha do casal – 29.1
chegada do senhor * no
  Campo da Paz – 29.5
função do senhor – 28.3
Isaura, filha do casal – 30.1

Batei e abrir-se-vos-á
interpretação do ensinamento
  de Jesus – 27.5

Índice geral

Benfeitor
adversário – 1.2

Benita
amiga de Ernestina – 9.3

Bentes, doutrinador
benefícios da doutrinação – 47.3
considerações – 45.3
Fidélis, Dr. – 45.2
grandeza divina da Doutrina
 Espírita – 45.2
preleção evangélica – 46.1
responsabilidade dos médiuns – 45.4

Bíblia
Evangelho de Jesus – 45.2

Bonnat, Florentin, pintor francês
quadro de São Dinis, Apóstolo
 das Gálias – 16.3

C

Calúnia
monstro invisível – 17.3

Câmaras de Retificação
André Luiz – 1.4
enfermos – 1.3
Narcisa, enfermeira – 44.2

Campo
reservatório dos princípios
 vitais – 41.2

Campo da Paz
Alfredo e visita de amigos – 28.1
atmosfera pesada – 15.1
centro de enfermagem – 30.3
compensações – 29.4
distância do Posto de Socorro – 28.2
Espíritos obsessores – 29.3
história – 29.4
Ministérios da União Divina,
 da Elevação – 30.3

Posto de Socorro – 15.5
serviços – 30.4
tempestades – 30.3
vizinhança de * e Postos
 de Socorro – 30.3
volitação adestrada – 30.4

Campos de Trabalho
Ministério da Regeneração – 13.2

Carlos
assalto às faculdades mediúnicas
 de Isabel – 39.4
primo de Vieira – 39.4

Carro
descrição do * no Posto
 de Socorro – 33.1

Casamento
exercício da mediunidade – 7.3
humano – 30.1
Plano Espiritual – 30.2

Casamento de almas
enxoval dos sentimentos – 30.2

Cecília
apresentação de * ao órgão – 30.3
filha do casal Bacelar – 29.1
Hermínio, grande amor de – 31.5
prêmio de visita a Nosso Lar – 29.2

Célula
minúsculo motor – 49.3

Centro de Mensageiros
André Luiz – 2.5
cartas vivas de Jesus – 3.3
médiuns, doutrinadores – 3.2
Ministério da Comunicação – 3.1
missão – 3.2

Centro de Preparação à Paternidade
Ministério do Esclarecimento – 13.1

Índice geral

Cidade
sufocação dos fluidos
humanos – 41.3

Ciência
aflições da alma – 5.3
círculos atômicos – 15.3
miopia da pequena – 4.1

Colaboração
desejo ardente – 2.2

Colônias espirituais
sofrimento das * da Europa – 18.2

Concentração
condições – 47.2

Consciência
ignorância e * encarnada – 65.1
movimento libertador da
* humana – 5.3
receio da acusação da própria – 6.3

Consciência universal
apelo – 1.2

Cora
citada pela pequena Noêmi – 36.2

Coração
bálsamo do amor divino – 1.4
cálice luminoso – 1.4

Corpo espiritual *ver* perispírito

Corpo físico
administração da mente – 49.3
necessidades da alma – 5.3
nove sistemas de órgãos – 49.2
obtenção do * na Terra – 20.4
tabernáculo do espírito – 49.2
usina – 49.2
vaso sagrado – 43.4

Cremilda
desligamento do corpo físico – 48.3
falta de preparação espiritual – 48.4
necrotério e cadáver – 48.3
noivo – 48.3
passe reconfortador – 48.4
provas purgatoriais – 48.5

Crosta *ver* Terra

Culto externo
Igreja Romana – 5.4

Cura
homem-espírito e * real – 40.3

Curso de preparação espiritual
alunos ociosos – 46.2
existência terrestre – 46.2

D

Dalva
encontro com a mãe em
sonho – 39.2

Desastre mediúnico
causa geral – 6.2

Desencarnação
desligamento da alma – 49.1
educação mental – 49.5
expulsão do corpo físico – 49.5
Fernando – 50.1
nutrição interrompida – 49.5
olho mortal e processo – 49.2
situação de Alfredo depois – 27.4

Desprendimento
auxílio magnético – 6.2

Deus
merecimento e respostas – 25.3

Dinis, São, o Apóstolo das Gálias
Florentin Bonnat, pintor
francês – 16.4
história real do quadro de – 16.3

Índice geral

representação do martírio – 16.3

Dor
construção mental e ação – 1.1

Doutrina
doutrinadores – 3.2

Doutrina Espírita *ver também* Espiritismo
grandeza divina – 45.2
Monteiro e essência moral – 12.2
sublimidade e pureza – 45.4

Doutrinação
benefícios da * de Bentes – 47.3
cooperadores falidos nas missões – 5.2, 6.1

Doutrinador
Belarmino Ferreira, * falido – 11.2
doutrina – 3.2
missão – 11.2

Drástico
significado do termo – 8.1, nota

E

Educação religiosa
negação – 44.5

Elementos-força
distribuição – 25.3
intercessão – 24.5
oração – 25.1-25.3

Eleutério
irmão de Vicente – 4.3
Rosalinda – 4.2

Elisa
esposa de Belarmino – 11.3

Emília
mãe de Regina – 37.2
servidora de Nosso Lar – 37.2

Enfermidade
cultivo – 43.4

Ernestina
bancarrota pessoal – 9.3
Benita, amiga – 9.3
receio das mistificações – 9.4

Especialização Médica
Ministério do Esclarecimento – 13.1

Esperança
melhor remédio, renovação – 44.1

Espiritismo
caçadores de interesses pessoais – 6.3
junto de Jesus – 12.4
Nosso Lar – 6.1
prático – 12.4
primeiras tarefas do * renovador – 6.1
problemas da concentração – 47.2
revelação divina – 6.3
teses sedutoras – 45.2

Espírito
identificação do * pela palavra – 6.5

Espírito desencarnado
ideia de enfermidade – 43.4
muralha das vibrações – 38.2
pausa de repouso – 41.1
realidades da morte corporal – 43.4
reunião doutrinária – 43.3

Espírito encarnado
doentia saudade do agrupamento – 48.1
instabilidade de pensamento – 47.1
muralha das vibrações – 38.2
pressão atmosférica – 37.3

Espírito obsessor
Campo da Paz – 29.3

Estacato
significado do termo – 32, nota

Índice geral

Evangelho de Jesus
  ambiente rural – 42.1
  Bíblia – 45.2
  culto familiar – 37.4
  equilíbrio ao coração – 36.5
  roteiros espirituais – 46.2
  sentimentos superiores – 1.3
  tesouros sagrados – 11.4

Excursão de aprendizado
  André Luiz e primeira – 14.4

Existência terrestre
  curso de preparação espiritual – 46.2

F

Faixa fluídica
  magnetização do ar – 43.2

Família
  visita ao ninho da * terrestre – 1.2

Fausta
  citada pela pequenina Marieta – 36.2

Fé
  ginástica do Espírito e *
    sincera – 22.4
  necessidade da * religiosa – 40.4

Felicidade
  descoberta da * de servir – 2.3
  sono dos justos e * divina – 37.5

Fernando
  aflição dos familiares
    encarnados – 50.2
  Amanda, esposa de – 50.4
  arrependimento – 50.2
  companheiros desregrados – 50.5
  desencarnação – 50.1
  desligamento – 50.4
  instinto, razão – 502
  intercessão materna – 50.2
  Januário, irmão – 50.4

  quadro do coma – 50.3
  reconsideração do passado – 50.2
  satisfações do corpo – 50.2

Ferreira, Belarmino
  doutrinador falido – 11.2
  dúvida, descrença – 11.3
  egoísmo – 11.3
  Elisa, esposa – 11.3
  ministro Gedeão – 11.3
  politicalha inferior – 11.4
  presidente de grupo espiritista – 11.3
  promessas em Nosso Lar – 11.3

Fidélis, Dr.
  fraudes, mistificadores – 45.3
  mediunismo – 45.2
  mente enfermiça – 45.4
  metapsíquica – 45.2
  Richet – 45.2

Filósofo
  materialista fantasiado – 29.3

Floresta
  ar, elemento asfixiante – 41.2

Força magnética
  atração de rebanho bovino – 42.1

Fraternidade
  luz – 2.2

Freud
  limitações – 38.4

G

Gabinete de Auxílio Magnético às
  Percepções
  André Luiz – 14.2
  auscultação profunda da alma – 23.2
  extensão dos benefícios
    colhidos – 23.1
  sondagem dos sentimentos – 23.2
  visão do plano mental – 23.2

Índice geral

Gabinetes de Socorro
 aplicações magnéticas – 10.1
 Joel e – 10.1
 Ministério do Auxílio – 10.1

Garcia, Carmo
 petição de Malaquias – 21.2

Glicério
 guarda de estrada – 41.4

Guerra
 requintes de perversidade – 5.3

H

Hermínio
 grande amor de Cecília – 31.5

Hilário
 faculdades mediúnicas
  de Isabel – 39.4
 tio de Vieira – 39.4

Hildegardo
 admoestação justa – 39.4
 evangelização – 39.3, 39.4

Homem
 arte e visões gloriosas – 16.5
 dia e noite para o * e livro
  da vida – 41.2

Humanidade terrena
 analogia da * com organismo
  coletivo – 5.5
 condição de eterna criança – 18.2
 influenciação mental – 15.1
 vibrações dos invisíveis – 5.3

I

Igreja Romana
 combate – 5.2
 culto externo – 5.4

Infalibilidade científica
 Bentes, doutrinador – 45.4

Inquisição Espanhola
 Alejandre Pizarro, monsenhor – 10.3

Instituto de Administradores
 Ministério do Esclarecimento – 13.1

Instituto Magnético de
 Campo da Paz
 enfermos – 21.5

Intercessão
 queda de flocos
  esbranquiçados – 24.4
 recepção de elementos-força
  e trabalho – 24.5

Isabel
 irmã de Isaura – 7.1

Isabel, médium
 culto doméstico – 35.1
 excursão instrutiva – 37.5
 Fábio Aleto – 35.3
 Joaninha, filha mais velha – 35.1
 Joãozinho, filho – 36.4
 Marieta, filha – 36.2
 Neli, filha – 35.1
 Noêmi, filha – 36.2
 receituário – 47.3
 vidência psíquica – 34.4
 viúva de Isidoro – 34.4

Isaura
 filha do casal Bacelar – 30.1
 irmã de Isabel – 7.1
 mãe de Otávio – 7.6
 preparação da noiva * para
  casamento – 30.2

Isidoro
 esposo de Isabel – 34.4
 influência de * na leitura do
  Novo Testamento – 35.2

Índice geral

neutralização de influências
 nocivas – 47.2
trabalhador espiritual na Terra – 34.3

Ismália
 apresentação de * ao órgão – 32.1
 esposa de Alfredo – 16.3
 Paulo e intercessões – 27.4
 permissão para consórcio
  espiritual – 17.3
 prece – 24.2, 32.2
 residência em Plano Superior – 17.3
 tesouros eternos – 32.6
 transfiguração – 24.3

J

Januário
 irmão de Fernando – 50.4

Jesus
 cartas vivas – 3.3
 crime coletivo e condenação – 27.4
 cura para o Reino de Deus – 13.3
 doutrinador divino – 11.2
 exemplo – 6.1
 interpretação do ensinamento – 27.5
 precursores – 45.2
 semente de mostarda – 35.4
 sopro divino – 19.4

Joaninha
 filha mais velha de Isabel – 35.1

Joãozinho
 filho de Isabel – 36.4
 rebeldia – 36.4

Joaquim
 esposo de senhora falida na
  tarefa mediúnica – 9.2

Joel
 Gabinetes de Socorro – 10.1
 Gaspar de Lorenzo – 10.4

Higino de Salcedo – 10.2-10.4
 médium fracassado – 10.2
 penúltima existência – 10.3
 promessas em Nosso Lar – 10.3
 recordação de existências
  pregressas – 10.2
 tarefa mediúnica – 10.2
 tratamento magnético – 10.4
 vaidade – 10.4

Justiça Divina
 responsabilidade dos que matam –
  20.4

Justiça Universal
 fuga do criminoso – 27.4

L

Lágrima
 sintoma de renovação e
  * sincera – 27.2

Lavrador
 sementeira – 25.5

Lenda hindu
 serpente, santo – 20.4

Leviandade
 almas levianas – 43.2

Livro da vida
 dia e noite para o homem – 41.2
 Lorenzo, Gaspar de Joel – 10.4

Luiz, André
 Ana, irmã – 23.3, 32.5
 Aniceto – 2.2
 asas espirituais – 33.2
 Câmaras de Retificação
  – 1.4, 13.1, 29.3
 capacidade para ver – 14.1
 Centro de Mensageiros – 2.5
 escolas espiritistas – 7.2
 estado espiritual – 1.1, 1.3

Índice geral

Gabinete de Auxílio Magnético
  às percepções – 14.2
horas de trabalho – 2.1
hóspede enfermo em Nosso Lar – 1.3
irradiação de luz – 15.2
Otávio – 7.1
passe de alívio – 44.3
Percepções – 14.2, 23.1,
  23.2, 25.1, 27.3, 34.1
potencialidade do raio X – 50.1
primeira excursão de
  aprendizado – 14.4
princípios de volitação – 14.4, 40.2
procedência – 13.1
renovação mental – 1.3
sistema vibratório de
  vigilância – 34.3
suicida inconsciente – 13.2
tabelas de bonificação – 2.5
tela mental de Paulo – 27.3
transformação – 1.1, 1.3
vaidade – 44.4
Vicente – 3.5
Zélia, esposa – 4.2

Luz solar
  sinais – 33.2

M

Maciel
  citado por Joãozinho – 36.4

Madalena
  técnicos do sopro – 19.2

Magia negra
  ignorância, maldade – 6.3

Magnetismo
  calor humano – 48.2
  incubadora de energias
    psíquicas – 48.1

Mal
  resultado da ignorância – 4.5

Malaquias
  Carmo Garcia – 21.2
  petição – 21.2
  Sinhá, esposa – 21.2

Mariana
  esposa de Amâncio – 9.1

Marieta
  filha de Isabel – 36.2

Marina
  mãe encarnada de Otávio – 6.4

Matéria mental
  vida própria – 40.3

Materialista
  fantasia de filósofo – 29.3

Medicina da alma
  medicina do corpo – 40.3

Medicina espiritual
  problemas profundos e
    sedutores – 4.1

Médium
  mediunidade – 3.2
  responsabilidade – 45.4

Mediunidade
  Acelino e transformação – 8.4
  casamento e exercício – 7.3
  cooperadores falidos nas
    missões – 5.2, 6.1
  médiuns – 3.2

Mediunismo
  metapsíquica – 45.2

Mente
  conceito humano – 49.2

Índice geral

Mente humana
    abertura da * para expressões
        invisíveis – 5.2
    corpo físico e administração – 49.3
    esfera de vibrações mais fortes – 15.1
    luz mortiça – 49.1

Merecimento
    respostas de Deus – 25.3

Metapsíquica
    mediunismo – 45.2

Micróbio
    atividade fisiológica – 49.4
    defesa organizada e * contido – 49.4

Ministério Celestial
    Ministério da Elevação – 13.2
    Ministério da União Divina – 13.2

Ministério da Comunicação
    André Luiz e tabelas de
        bonificação – 2.5
    atividades do * no plano físico – 5.2
    Centro de Mensageiros – 3.1
    Reino de Deus – 6.3
    Telésforo – 5.1

Ministério da Regeneração
    Campos de Trabalho – 13.2
    colmeia de sofredores – 29.2

Ministério do Auxílio
    Gabinetes de Socorro – 10.1
    sopro curador – 19.2

Ministério do Esclarecimento
    Centros de Preparação à
        Paternidade – 13.2
    escolas maternais – 13.2
    Especialização Médica – 13.2
    Instituto de Administradores – 13.2
    Serviços de Investigação – 30.1

Ministra Veneranda
    Monteiro e audiência – 12.4

Ministro Gedeão
    Belarmino Ferreira – 11.3

Monteiro
    abuso das faculdades do verbo – 12.4
    apego às manifestações
        exteriores – 12.2
    audiência com a Ministra
        Veneranda – 12.4
    Centro de Mensageiros – 12.1
    comportamento inflexível – 12.3
    doutrinação aos
        desencarnados – 12.2
    essência moral da Doutrina – 12.2
    Nosso Lar – 12.2
    vício intelectual – 12.2

Morte
    ideia – 48.5
    impressão de * na Terra – 20.4
    impressão de * no plano
        espiritual – 20.4

Muralha das vibrações
    Espíritos encarnados,
        desencarnados – 38.2

N

Narcisa, enfermeira
    Câmaras de Retificação – 44.2
    estado espiritual de André
        Luiz – 1.2, 1.3

Natureza
    desrespeito – 41.5

Necrotério
    cadáver de Cremilda – 48.3

Neli
    filha de Isabel – 35.1
    prece – 35.1

Índice geral

Nieta
neta de trabalhadora de Nosso Lar – 38.2

Noêmi
filha de Isabel – 36.2

Nosso Lar
Acelino – 8.2
André Luiz, hóspede enfermo – 1.3
Belarmino Ferreira e promessas – 11.3
Bosque das Águas – 30.3
Campo da Prece Augusta – 30.3
Espiritismo – 6.1
Joel e promessas – 10.3
Monteiro – 12.1
oficina – 34.2, 34.3, 34.5
Otávio – 7.2-7.4
refúgios de * na Terra – 33.5
regiões inferiores entre * e a Terra – 14.4
Salão da Arte Divina – 30.3
Samaritanos – 19.1, 27.2
universidades de preparação espiritual – 29.2

Novo Testamento
Fábio Aleto e interpretação – 35.3
influência de Isidoro na leitura – 35.2

O

Olho humano
limitações – 15.3

Olívia
técnicos do sopro – 19.2

Oração
benefícios – 14.2
compromisso da criatura – 14.2
conceito – 25.3
efeitos – 25.1, 37.4
elementos-força – 24.5, 25.3

momento de * no Posto de Socorro – 24.1

Otávio
abandono dos órfãos – 7.5
Acelino, médium fracassado – 8.1
André Luiz – 7.1
desconfiança nos orientadores espirituais – 7.4
experiências sexuais – 7.5
Isaura, mãe – 7.6
Marina, mãe encarnada – 6.4
matrimônio – 7.3, 7.5
médium fracassado – 6.5
Nosso Lar – 7.3
queda – 7.3
recepção de seis amigos órfãos – 7.3
sífilis, álcool – 7.5
tempo de preparação mediúnica – 7.3

P

Paisagem doméstica
abandono – 1.1

Palestra instrutiva
consequências da fuga – 6.5

Passe de reconforto
boa vontade, responsabilidade – 44.1

Paulo
André Luiz e tela mental – 27.3, 32.5
comportamento de Alfredo – 27.5
história de Alfredo – 27.3
intercessões de Ismália – 27.4
recordações do passado – 27.2
tutelado de Alfredo – 27.5

Paulo de Tarso
nuvem de testemunhas – 50.5

Pensamento
Plano Espiritual e desencarnação – 20.4

Índice geral

Perispírito
   interrupção dos efeitos
      luminosos – 15.4
   irradiação de luz do * de
      André Luiz – 15.2
   molde do corpo físico – 49.3

Personalidade
   analogia da * humana
      com células – 5.5
   deformação – 3.4

Pesadelo
   sono em desequilíbrio – 23.2

Plano carnal *ver* Plano físico

Plano Espiritual
   apego às impressões físicas – 20.4
   casamento – 30.1
   comportamento dos enfermos – 28.4
   desencarnação de
      pensamentos – 20.4
   impressão de morte – 20.4
   ressurreição do corpo denso – 20.4
   utilização de armas – 20.3

Pobreza
   oportunidade de elevação e – 36.3

Posto de Socorro
   Alfredo, administrador – 16.3
   André Luiz e descanso – 15.1
   campainha na muralha – 16.1
   Campo da Paz – 15.5
   contrafortes – 16.1
   coro infantil – 31.2
   crença no sono eterno – 22.3
   descrição do carro – 33.1
   entidades diabólicas – 20.2
   fenômenos magnéticos – 28.1
   fetos da espiritualidade – 22.3
   gênios da sombra – 20.2
   hierarquia – 26.1
   Lei Universal do Amor – 20.2
   lenda hindu – 20.4
   momento de oração – 24.1
   notícias – 17.1
   Salão de Música – 31.1
   tempestade magnética – 18.1
   utilização de armas – 20.3
   vida social – 28.1
   visão panorâmica – 20.1
   visita da família Bacelar – 28.2

Prece de Ismália
   gradação espiritual – 24.4
   queda de flocos
      esbranquiçados – 24.4
   transfiguração – 24.3

Prece *ver* Oração

Preparação espiritual
   inexistência – 5.3

Princípio curativo
   solo, plantas – 40.5

Princípio vital
   campo, reservatório – 41.2

Punição
   interpretação da dificuldade – 3.4

R

Receituário
   cura do corpo – 46.2
   Isabel – 47.3

Reclamação
   calar toda espécie – 2.3

Reforma Luterana
   perseguição – 5.2

Regina
   filha de Emília – 37.2

Reino de Deus
   construção – 6.3

Índice geral

Ministério da Comunicação – 6.3

Reino vegetal
cooperadores – 41.3

Religião
cultos externos – 3.3

Renúncia
escola evangélica – 6.1

Retificação espiritual
instrumentos adequados – 5.5

Reunião doutrinária
egoísmo habitual – 43.3
Espíritos desencarnados – 43.3

Revelação nova *ver* Espiritismo

Richet
perspectivas novas – 45.2

Rosalinda
Eleutério – 4.2
esposa de Vicente – 4.2
segundas núpcias – 4.4

Ruth
esposa de Acelino – 8.2

S

Salcedo, Higino de
Joel – 10.2-10.4

Samaritano
Nosso Lar – 19.1, 27.2

Saudade
enfermidade da alma – 26.2

Sentido físico
limitação – 15.3

Serviços de Investigação
do Ministério do
Esclarecimento

Antônio, funcionário – 30.2

Sinhá
esposa de Malaquias – 21.2
Sistema de transporte
eletromagnetismo – 19.2

Sol
sede de nossas energias vitais – 33.3

Sono
desprendimento parcial
pelo * físico – 38.1
felicidade e * dos justos – 37.5
intercâmbio espiritual – 37.2
perturbações fisiológicas – 37.2

Sopro curador
condições para suficiência – 19.2
disponibilidade – 19.3
formação dos técnicos – 19.3
Ministério do Auxílio – 19.4
privilégio do homem – 19.2
tipos – 19.3

T

Telésforo
Ministério da Comunicação – 5.1

Tempestade
ameaça de * e seres da sombra – 37.3
Campo da Paz – 30.3
Posto de Socorro e *
magnética – 18.2

Terra
comportamento dos enfermos – 28.4
gritos comovedores de
sofrimento – 6.1
impressão de morte – 20.4
obtenção do corpo físico – 20.4
oficina de trabalho redentor – 6.2
prática da volitação – 33.4

Índice geral

regiões inferiores entre
    Nosso Lar – 14.4
reminiscências – 1.3
zona de influência direta – 33.4

Trabalho
    Aniceto e equipe – 2.4
    compreensão do valor – 2.2
    conceito – 6.5
    necessidade fundamental – 5.4
    preparação de colaboradores – 2.3

Transição
    auxílio na grande – 1.1

V

Vaidade
    André Luiz – 44.4
    extinção da * pessoal – 2.3

Veículos de manifestação
    analogia – 37.3, 40.2

Verdade divina
    desculpismo – 28.5

Vicente
    aprendiz médico – 3.5
    Eleutério, irmão – 4.3
    história – 4.2

pedidos levianos – 46.3
possibilidade de uniões
    matrimoniais – 30.1
princípios de volitação – 14.4, 40.2
Rosalinda, esposa – 4.2
vírus destruidor – 4.4
zonas inferiores – 4.4

Vida eterna
    sequiosos – 6.4

Vida social
    Posto de Socorro – 28.1, 30.3

Vieira
    admoestação justa – 39.4
    Carlos, primo – 39.4
    evangelização – 39.3, 39.4
    Hilário, tio – 39.4

Volitação
    André Luiz e princípios – 14.4
    dificuldades – 15.1
    zona de influência da Terra – 33.3

Z

Zélia
    esposa de André Luiz – 4.2

OS MENSAGEIROS

ED.	IMP.	ANO	TIRAGEM	FORMATO
1	1	1944	10.000	13x18
2	1	1948	10.000	13x18
3	1	1952	5.000	13x18
4	1	1956	10.000	13x18
5	1	1959	10.000	13x18
6	1	1963	10.000	13x18
7	1	1969	10.060	13x18
8	1	1973	10.000	13x18
9	1	1975	20.000	13x18
10	1	1978	10.200	13x18
11	1	1978	10.200	13x18
12	1	1980	10.200	13x18
13	1	1981	10.200	13x18
14	1	1982	10.200	13x18
15	1	1983	10.200	13x18
16	1	1983	10.200	13x18
17	1	1984	10.200	13x18
18	1	1985	10.200	13x18
19	1	1985	10.200	13x18
20	1	1986	20.200	13x18
21	1	1987	20.200	13x18
22	1	1988	30.200	13x18
23	1	1990	25.000	13x18
24	1	1991	20.000	13x18
25	1	1992	20.000	13x18
26	1	1993	25.000	13x18
27	1	1994	25.000	13x18
28	1	1995	20.000	13x18
29	1	1996	15.000	13x18
30	1	1997	15.000	13x18
31	1	1998	5.000	13x18
32	1	1999	5.000	13x18
33	1	2000	10.000	13x18
34	1	2000	10.000	13x18
35	1	2000	5.000	13x18
36	1	2001	5.000	13x18
37	1	2001	5.200	13x18
38	1	2002	10.000	13x18
39	1	2003	15.000	12,5x17,5
40	1	2004	5.000	12,5x17,5

OS MENSAGEIROS

ED.	IMP.	ANO	TIRAGEM	FORMATO
41	1	2004	20.000	12,5x17,5
42	1	2006	5.000	12,5x17,5
43	1	2006	5.000	12,5x17,5
44	1	2007	10.000	12,5x17,5
45	1	2007	20.000	12,5x17,5
45	2	2008	20.000	12,5x17,5
45	3	2010	20.000	12,5x17,5
45	4	2011	22.000	12,5x17,5
45	5	2012	10.000	12,5x17,5
ED.	IMP.	ANO	TIRAGEM	FORMATO
1	1	2003	5.000	14x21
2	1	2006	2.000	14x21
2	2	2008	2.000	14x21
2	3	2009	3.000	14x21
2	4	2010	5.000	14x21
2	5	2010	2.000	14x21
2	6	2011	5.000	14x21
ED.	IMP.	ANO	TIRAGEM	FORMATO
47	1	2013	5.000	14x21
47	2	2013	20.000	14x21
47	3	2014	8.000	14x21
47	4	2015	8.000	14x21
47	5	2015	8.000	14x21
47	6	2016	11.000	14x21
47	7	2016	9.000	14x21
47	8	2017	8.000	14x21
47	9	2017	8.000	14x21
47	10	2018	5.000	14x21
47	11	2018	5.200	14x21
47	12	2019	4.100	14x21
47	13	2019	5.000	14x21
47	14	2020	11.000	14x21
47	15	2021	7.500	14x21
47	16	2022	10.500	14x21
47	17	2023	7.000	14x21
47	18	2024	7.000	14x21
47	19	2024	10.000	14x21

FEB editora
Livro espírita para um novo mundo
www.febeditora.com.br
@febeditoraoficial
@febeditora

Conselho Editorial:
Carlos Roberto Campetti
Cirne Ferreira de Araújo
Evandro Noleto Bezerra
Geraldo Campetti Sobrinho – Coord. Editorial
Jorge Godinho Barreto Nery – Presidente
Maria de Lourdes Pereira de Oliveira
Miriam Lúcia Herrera Masotti Dusi

Produção Editorial:
Elizabete de Jesus Moreira

Revisão:
Elizabete de Jesus Moreira
Perla Serafim

Capa:
Evelyn Yuri Furuta

Projeto gráfico:
Rones José Silvano de Lima - instagram.com/bookebooks_designer

Diagramação:
Luisa Jannuzzi Fonseca

Foto de capa:
http://www.istock.com/ SimmiSimons
http://www.dreamstime.com/ Harlanov
http://www.dreamstime.com/ Serp

Foto Chico Xavier:
Grupo Espírita Emmanuel (GEEM)

Normalização Técnica:
Biblioteca de Obras Raras e Documentos Patrimoniais do Livro

ta edição foi impressa pela Corprint Gráfica e Editora Ltda., Mogi das Cruzes, SP, com iragem de 10 mil exemplares, todos em formato fechado de 140x210 mm e com le 104x170 mm. Os papéis utilizados foram o Off white bulk 58 g/m² para o rtão 250g/m² para a capa. O texto principal foi composto em fonte Adobe 12/15 e os títulos em Adobe Garamond Pro 28/30. Impresso no Brasil.